Claire **Miquel**

Communication Progressive du Français

Corrigés

avec 525 exercices

www.cle-inter.com

Mise en page : Arts Graphiques Drouais (28380 Saint-Rémy-sur-Avre)

ISBN : 978-209-038166-5

SOMMAIRE

SITUATIONS CONCRÈTES

1 **Parler des quantités** 5
2 **Décrire** 5
3 **Parler des objets** 6
4 **Pannes et réparations** 7
5 **Parler de cuisine, de repas** 8
6 **La météo** 8
7 **L'état général** 9
8 **Les mouvements** 10
Bilan n° 1 11

INTERACTIONS

9 **Demander ou donner des nouvelles** 12
10 **Aider** 13
11 **Demander, accepter, refuser** 14
12 **Réunions, conférences** 15
13 **Les responsabilités** 15
14 **Gérer les conflits** 16
15 **Plaisanter, tromper** 17
16 **Allusions et sous-entendus** 17
Bilan n° 2 18

OPINIONS

17 **Le débat et l'opinion** 19
18 **Dire ou ne pas dire ?** 20
19 **Réagir, commenter** 21
20 **Parler d'un projet** 22
21 **Évaluer un travail** 23
22 **Préférence, indifférence** 23
23 **Gaffes, erreurs** 24
Bilan n° 3 25

COMPORTEMENTS ET ÉMOTIONS

24 **Les comportements** 25
25 **Illusions, apparences et réalités** 26
26 **Manières et moyens** 27
27 **Découragement, frustration, récupération** 28
28 **Soucis, appréhensions, peurs** 29
29 **Exprimer ses sentiments** 30
Bilan n° 4 30

RAISONNEMENT

30 **Nuancer, atténuer, préciser** 31
31 **Expliquer, comprendre, ne pas comprendre** 32
32 **Réfléchir, argumenter** 33
33 **Établir des comparaisons** 34
34 **Incrédulité et certitudes** 35
35 **Causes, excuses et conséquences** 36
36 **Conditions, hypothèses, probabilités** 36
Bilan n° 5 37

TRAVAIL, SOCIÉTÉ

37 **Risques, dangers, nécessités** 38
38 **Action et inaction** 39
39 **Réussites et échecs** 39
40 **Connaissances et compétences** 40
41 **L'emploi** 41
42 **L'argent** 41
Bilan n° 6 42

PASSAGE DU TEMPS

43 **Le temps qui passe** 43
44 **Mémoire, oubli, regrets** 44
45 **Hasards, fatalisme et opportunités** 45
46 **Effets de mode** 46
47 **Perspectives d'avenir** 47
Bilan n° 7 48

CORRIGÉS

Unité 1 Parler des quantités

Exercices page 9

1 1. F – 2. V – 3. F – 4. F – 5. F – 6. V

2 1. un monde fou – 2. superflues – 3. Les réfugiés affluent – 4. sacrément* – 5. une montagne/une pile.

3 *(Réponses possibles)* 1. La plage est bondée, il y a un monde fou, il y a des flopées* de gens sur la plage. C'est normal, à cette saison, les touristes affluent. – 2. Les piles de dossiers s'accumulent sur le bureau. La personne à qui appartient ce bureau va crouler* sous les dossiers !

4 *(Réponses possibles)* 1. Elle est débordée, elle croule* sous le travail. – 2. Ils affluent. – 3. Il y a l'embarras du choix. – 4. Une flopée* d'enfants... – 5. Une bonne partie des musées sont fermés... *(→ L'accord avec « une bonne partie » dépend du sens, mais le verbe est généralement — et logiquement — au pluriel).*

Exercices page 11

1 1. Non, je n'ai pas vu des masses* de touristes. – 2. Non, c'est désert/c'est mort ! – 3. Il n'y voit pas grand-chose. – 4. Pas grand monde n'a assisté au spectacle. – 5. Non, il n'y a pas un chat !

2 1. masses* – 2. soit – 3. loin – 4. monde – 5. ça

3 1. soit – 2. loin – 3. trou* – 4. bout – 5. désert/mort – 6. faut

4 1. pas un chat – 2. ce sera ric-rac* – 3. c'est un peu juste – 4. pas tant que ça – 5. nous n'avons pas visité grand-chose – 6. des masses* / des flopées*

Unité 2 Décrire

Exercices page 13

1 1. F – 2. V – 3. F – 4. F – 5. V

2 1. mignon à croquer – 2. la générosité faite femme – 3. comme un sac* - 4. une force de la nature – 5. jolie comme un cœur – 6. comme deux gouttes d'eau.

3 1. Il n'est plus tout jeune. – 2. Il se laisse aller. – 3. Elle a pris un coup de vieux. – 4. Il fait plus jeune que son âge. / Il fait dix ans de moins que son âge. – 5. Elle a de l'allure. / Elle ne manque pas d'allure/de classe.

4 *(Réponse possible)* Les trois femmes sont visiblement de la même famille, elles se ressemblent énormément. Ce sont probablement trois générations, la mère aux cheveux blancs, la fille aux cheveux bruns et bouclés, et la petite fille aux cheveux un peu plus clairs. Les trois femmes sont peut-être métisses. Elles ont toutes les trois un beau et grand sourire. La petite fille est mignonne à croquer, et sa mère est jolie comme un cœur. La grand-mère fait encore jeune, malgré ses cheveux blancs.

Exercices page 15

1 un hameau – **2.** les volets – **3.** une cabane – **4.** une poutre

2 **1.** C'est un garçon au regard vif et à l'intelligence aiguisée. – **2.** C'est une maison à la façade en briques. – **3.** C'est une jeune fille aux cheveux roux et à l'expression rêveuse. – **4.** C'est un bâtiment au charme désuet. – **5.** C'est un homme à la haute stature et à l'allure inquiétante. – **5.** C'est une région au paysage vallonné.

3 **1.** biscornue – **2.** vallonnée – **3.** escarpé – **4.** verdoyante – **5.** fertile

4 *(Réponses possibles)* **1.** Il s'agit probablement d'une ferme, située dans une campagne vallonnée et verdoyante. On distingue plusieurs corps de bâtiments aux toits pentus, en ardoise. Les boiseries sont blanches ou marron. La ferme semble en bon état. **2.** Il s'agit d'une jolie maison typiquement normande, située au bord d'une petite rivière. On aperçoit, sur la droite, un jardin très vert. La maison est tout en longueur, avec des fenêtres dans le toit de chaume. Les murs sont « à colombages », c'est-à-dire que les poutres sont visibles sur la façade blanche, ce qui donne beaucoup de charme à la maison. Les volets sont peints en vert ou en marron.

Unité 3 Parler des objets

Exercices page 17

1 **1.** une cale – **2.** du mastic – **3.** un tuyau (d'arrosage) – **4.** le carrelage – **5.** la menuiserie

2 *(Réponses possibles)* **1.** Vous auriez un mastic qui me permette de boucher un trou dans un mur ? – **2.** Je cherche quelque chose dont je puisse me servir comme cale. – **3.** Il faudra que je trouve un meuble sur lequel nous ayons la possibilité de poser des objets lourds. – **4.** Il me faudrait un tuyau qui soit assez long pour arroser la totalité du jardin. – **5.** J'aimerais trouver un meuble qui tienne dans ce renfoncement.

3 *(Réponses possibles)* **1.** A vrai dire, je ne sais pas à quoi ça sert ! – **2.** Non, je n'en vois pas l'utilité ! – **3.** Je cherche un truc* qui me permette de consolider ce meuble. – **4.** Il est en train de rafistoler* sa moto. – **5.** Ça doit être une sorte de marteau.

Exercices page 19

1 obstrue/gêne/bloque – **2.** couper – **3.** tailler – **4.** obstrue, empêche – **5.** vient

2 1. Les travaux bloquent le passage. – 2. Ce gros arbre fait de l'ombre en été. – 3. Malheureusement, le futur immeuble de bureaux m'empêchera de voir la mer de chez moi. – 4. (...) le problème vient de chez ma voisine. – 5. (...) a endommagé...

3 *(Réponses possibles)* **1.** La dame arrose ses plantes sans regarder ce qui se passe en dessous de son balcon ! Il faudrait que le pauvre voisin, tout mouillé, aille parler à sa voisine et lui demande d'arroser avec plus de soin et de précision... **2.** Une tempête a cassé un arbre qui bloque la route. Ce monsieur a plusieurs solutions : soit il attend que les secours arrivent et enlèvent l'arbre (ce qui prendra du temps), soit il fait demi-tour. Il devra reculer prudemment avec sa voiture, en prenant soin d'allumer ses feux de détresse pour prévenir d'éventuels automobilistes. **3.** Il est évident qu'il y a un « dégât des eaux » dans l'appartement de ce monsieur. La fuite d'eau doit provenir de l'appartement du dessus. Il faut que ce monsieur prévienne ses voisins, afin de faire un constat. C'est l'assurance de l'appartement qui prendra en charge les travaux de rénovation. En effet, il faudra d'abord réparer la fuite d'eau, puis enlever le papier peint, en mettre un nouveau, et repeindre le plafond.

Unité 4 Pannes et réparations

Exercices page 21

1 *(Réponses possibles)* **1.** Je me suis coupé(e) en épluchant des légumes. – **2.** Il est tombé en jouant au rugby. – **3.** C'est en déménageant : j'ai perdu l'équilibre et je l'ai fait tomber. – **4.** En remplissant le formulaire et en choisissant un mot de passe. – **5.** En se rendant chez leurs cousins et en dérapant sur le verglas. – **6.** En demandant à ses voisins, tout simplement. – **7.** En cherchant sur Internet et en découvrant quelques sites de grande qualité intellectuelle.

2 **1.** mot de passe – **2.** appuyé, ouverte – **3.** planté*, sauvegardé – **4.** accéder – **5.** enfoncée, ordinateur – **6.** se passe – **7.** a cliqué, fait/changé – **8.** parvenons/arrivons

3 *(Réponses possibles)* **1.** à fermer cette fenêtre – **2.** à ce service ? – **3.** sur la touche « étoile » de mon clavier téléphonique. – **4.** mon identifiant et mon code secret. – **5.** a encore planté*, il va falloir que j'en achète un autre !

Exercices page 23

1 **1.** s'ouvre – **2.** s'allume – **3.** se coince – **4.** s'éteint – **5.** se rangent/se mettent

2 **1.** un dépanneur/une dépanneuse – **2.** voyant, s'éteint – **3.** crevé – **4.** se coince – **5.** vitre

3 **1.** Je suis garé(e) dans la rue – **2.** ce voyant rouge s'allume – **3.** une dépanneuse – **4.** est crevé – **5.** Tout est détraqué* !

4 *(Réponse possible)* Le client doit aller chez le mécanicien/le garagiste, car il a un gros problème avec sa portière avant gauche, qui se coince tout le temps. Peut-être le monsieur devra-t-il sortir de l'autre côté ? Le mécanicien devra réparer la charnière de la portière, pour qu'elle s'ouvre et se ferme normalement.

Unité 5 Parler de cuisine, de repas

Exercices page 25

1 **1.** Elle a un de ces appartements ! – **2.** Il nous a préparé un de ces gâteaux ! – **3.** Elle a une de ces soifs ! – **4.** Elle a fait un de ces voyages ! – **5.** Il a débouché une de ces bouteilles !

2 **1.** un coup*, un verre – **2.** bois – **3.** un morceau, au lance-pierre* – **4.** pompette* – **5.** meurt, crève* – **6.** sur le pouce

3 **1.** crève*/meurt – **2.** creux – **3.** bourré*, arrosé – **4.** lance-pierre* – **5.** ouvrir/déboucher

4 **1.** au lance-pierre* – **2.** a eu la gueule* de bois – **3.** sur le pouce – **4.** un petit creux – **5.** meurt/crève* de faim – **6.** boire un coup* – **7.** Il s'agissait d'un déjeuner bien arrosé.

Exercices page 27

1 **1.** F – **2.** V – **3.** F – **4.** V – **5.** V

2 **1.** rendre – **2.** ajouter – **3.** écœurant – **4.** cuire, sauter – **5.** ce goût, cet arrière-goût

3 **1.** dis – **2.** rendre – **3.** masque – **4.** fades – **5.** bat – **6.** goûtes

4 **1.** est fade – **2.** d'éplucher les – **3.** Ce plat est trop relevé/pimenté. – **4.** dites – **5.** elle est trop sucrée/écœurante

Unité 6 La météo

Exercices page 29

1 **1.** F – **2.** V – **3.** V – **4.** F – **5.** F

2 **1.** Le temps va s'améliorer. – **2.** Le ciel se couvre. – **3.** Ça s'adoucira. – **4.** Ça s'éclaircit. – **5.** Ça va se rafraîchir. – **6.** Ça s'est dégagé. – **7.** Le temps s'est dégradé.

3 **1.** un froid de canard* – **2.** battante, trempée – **3.** ce sont les giboulées de printemps – **4.** grelotte – **5.** printemps pourri* – **6.** de la grisaille et du crachin.

4 *(Réponse possible)* C'est l'hiver à Paris ! Près de la Tour Eiffel, les arbres sont défeuillés et il fait gris. Il vient de pleuvoir des cordes, on voit les flaques d'eau par terre. Un jeune couple emmitouflé dans des manteaux, des bonnets et des écharpes, se promène sur le Champ de Mars. L'homme porte avec humour un parapluie retourné par le vent. Espérons que le temps s'améliore, car, pour le moment, c'est la grisaille parisienne !

Exercices page 31

1 **1.** V – **2.** F – **3.** F – **4.** F

2 **1.** sibérien – **2.** un rayon – **3.** canicule – **4.** se lever, irrespirable, souffle – **5.** caille*

3 *(Réponses possibles)* **1.** Oui, il fait un froid de canard*, il faut bien se couvrir. – **2.** C'est la canicule, il est plus prudent de rester à la fraîche. – **3.** La température est anormalement basse pour la saison, tout le monde est emmitouflé. – **4.** L'hiver est rigoureux, il fait un froid sibérien, il faut s'équiper pour ne pas en souffrir. – **5.** L'air est irrespirable.

4 *(Réponses possibles)* **1.** Nous sommes en Languedoc, près de Montpellier, en plein été. Au fond, on reconnaît le Pic Saint-Loup. Au premier plan, dans ce paysage sec et aride, il doit faire une chaleur torride, car il n'y a pas un souffle d'air. C'est la canicule, comme souvent en été dans cette région. L'air est irrespirable, il vaudrait mieux rester à la fraîche ! **2.** Nous sommes dans le Bois de Vincennes, à Paris. Il a fait exceptionnellement froid, c'est un hiver plus rigoureux que d'habitude. Il a beaucoup neigé, et le lac est gelé. Ça doit cailler* ! Les températures sont anormalement basses pour la saison.

Unité 7 — L'état général

Exercices page 33

1 **1.** Qu'est-ce qu'il a, à pleurer ? – **2.** Qu'est-ce qu'ils ont, à faire la tête ? – **3.** Ils ont que le match est annulé. – **4.** Qu'est-ce que tu as, à te plaindre ? – **5.** J'ai que mes enfants me négligent.

2 **1.** Barbara a les traits creusés par la fatigue. – **2.** Elvire tire trop sur la corde*. – **3.** Louis va y laisser sa peau, à force de trop travailler ! – **4.** Elle s'est trouvée mal dans le métro. – **5.** Ronan est crevé*. – **6.** Qu'est-ce qui t'arrive/Qu'est-ce que tu as ? – **7.** Ça va mal finir !

3 *(Réponses possibles)* **1.** Qu'est-ce qui t'est donc arrivé ? – **2.** Qu'est-ce qu'il a, à râler ? – **3.** Qu'est-ce que tu as ? Il n'y a rien de grave, au moins ? – **4.** Dans quel état sont-ils ? – **5.** Qu'est-ce que tu as, à t'énerver ainsi ?

4 *(Réponses possibles)* Ce jeune cadre a travaillé comme un fou sur un projet pour son entreprise. Maintenant, il est tellement crevé* qu'il s'est endormi sur son ordinateur. Il ne faut pas qu'il tire trop sur la corde*, sinon, il va y laisser sa peau* !

Exercices page 35

1 **1.** reprend – **2.** sont passés – **3.** se remettent – **4.** est tirée – **5.** s'est remis – **6.** ont repris – **7.** un pépin, pied.

2 **1.** du ressort – **2.** sur les rotules* – **3.** a flanché*, elle s'est ressaisie – **4.** a repris du poil de la bête* – **5.** se remettre de – **6.** est à nouveau sur pied/solide sur ses pieds.

3 *(Réponses possibles)* Cette jeune femme est tombée en faisant de l'escalade, et s'est cassé la cheville. À l'hôpital, on lui a mis un plâtre, et elle est restée immobilisée assez longtemps. Maintenant, elle a laissé son fauteuil roulant et elle peut se déplacer avec des béquilles. Elle a commencé une rééducation, et elle sera sur pied — au sens propre du terme — dans peu de temps.

Unité 8 Les mouvements

Exercices page 37

1 **1.** F – **2.** F – **3.** V – **4.** F – **5.** F

2 **1.** Elle est arrivée après la bataille. – **2.** Ils ont tous rappliqué*. – **3.** Il faut que j'y aille. – **4.** Personne ne s'est barré*. – **5.** Il s'est pointé* pour...
– **6.** Je file* ! – **7.** Elle a montré le bout de son nez*.

3 *(Réponses possibles)* **1.** Il faut que j'y aille ! – **2.** Nous avons fait un crochet pour visiter Vézelay. – **3.** Bon débarras* ! – **4.** Je suis arrivé(e) après la bataille. – **5.** Je suis passé(e) chez mes voisins, mais je ne me suis pas attardé(e). – **6.** En voyant le monde qu'il y avait, j'ai rebroussé chemin.

Exercices page 39

1 **1.** Non, je ne me suis pas reposé(e) de tout le week-end. – **2.** Non, il n'a pas dormi de la nuit. – **3.** Non, ils n'ont pas bu de la soirée. – **4.** Non, elle ne bouge pas de l'après-midi. – **5.** Non, nous ne sommes pas sortis de la journée. – **6.** Non, ils n'ont pas voyagé de l'année.

2 **1.** plantés*/cloués*/scotchés* – **2.** les bras croisés – **3.** traînent, désœuvrés – **4.** tiennent pas en place – **5.** levé le petit doigt

3 *(Réponse possible)* Cette jeune femme a un travail important à finir, elle restera scotchée* toute la journée à son ordinateur. Elle ne bougera pas de la journée, tant qu'elle n'aura pas fini ! Elle ne mettra même pas le nez* dehors. De toute façon, ce n'est pas son style de rester les bras croisés.

4 *(Réponses possibles)* **1.** Non, je n'ai pas bougé/je n'ai pas mis le nez* dehors de la journée. – **2.** Ils sont restés scotchés*/plantés* devant leur ordinateur. – **3.** Ils n'ont pas levé le petit doigt pour nous aider ! – **4.** Non, je suis resté(e) vautré(e) sur mon canapé à regarder la télé ! – **5.** Il n'est pas resté les bras croisés. – **6.** Ils n'ont pas su quoi faire.

Exercices page 41

1 **1.** Qu'est-ce que cet enfant est agité ! – **2.** Comme c'est bizarre… – **3.** Que ce paysage est beau ! – **4.** Que cet acteur incarne bien son personnage ! – **5.** Comme il explique tout clairement !

2 **1.** rentre – **2.** des courbatures – **3.** se faire renverser, me suis précipité(e), retenir/rattraper – **4.** de suite – **5.** s'échauffer – **6.** prennes – **7.** vous allonger

3 *(Réponses possibles)* **1.** Vous vous asseyez sur le ballon, vous gardez les pieds au sol. Vous levez le bras droit tendu au dessus de vous et vous vous penchez du côté opposé, en allongeant le bras gauche vers votre pied. Vous restez quelques instant et vous revenez à la position de départ. **2.** Vous vous asseyez sur vos talons. Vous mettez les deux bras tendus devant vous et vous glissez les mains lentement, le plus loin possible. Vous serez obligés de décoller les fesses. Vous gardez la tête dans le prolongement du dos. Vous pouvez tenir cette position pour détendre le dos.

Bilan n° 1

Exercices pages 42 et 43

1 *(Réponse possible)* Ce jeune homme est assis à son bureau, qui est en désordre, car il est en train d'étudier (peut-être pour un examen). Sur les cahiers sont éparpillées des feuilles de papier froissées. Le jeune homme s'est accoudé à la table, et se tient la tête entre les mains, visiblement découragé et/ou crevé* !

2 **1.** l'embarras du choix – **2.** pas un chat – **3.** a pris un coup de vieux – **4.** est biscornue – **5.** À quoi ça sert ? À quoi sert cet objet ? – **6.** au lance-pierre* – **7.** tu dis – **8.** un froid de canard*/un froid sibérien - **9.** qu'est-ce que tu as – **10.** ne tient pas en place

3 **1.** tant s'en faut, loin de là – **2.** un machin*, un truc* - **3.** sur le pouce*, au lance-pierre*. – **4.** se couvre, se dégage – **5.** du poil de la bête, le dessus. – **6.** le petit doigt – **7.** j'y aille, je file* – **8.** s'allume, s'éteint – **9.** enfoncée – **10.** gêne, obstrue

4 *(Réponses possibles)* **1.** Je suis crevé(e)*, parce que je n'ai pas dormi de la nuit. – **2.** Oui, je commence à me remettre du choc. – **3.** Non, pas encore, mais il faut absolument que je m'échauffe avant de courir. – **4.** Oui, un petit peu, puis ils se sont ressaisis. – **5.** Non, je suis venu(e) directement. – **6.** Je la trouve absolument délicieuse ! – **7.** Oh oui, je me suis emmitouflé(e) dans mon manteau ! – **8.** Oui, il fait un froid de canard*, ce matin. – **9.** À mon avis, ça ne sert à rien ! – **10.** Non, il n'y a pas un chat/Non, il n'y a pas grand-monde.

5 *(Réponses possibles)* **1.** Il t'a aidé ? – **2.** Il se remet de ses émotions ? – **3.** Ça se couvre ? – **4.** On peut ajouter du sucre/de la crème/du miel. – **5.** Mon ordinateur a planté*, j'ai perdu mes données que j'ai oublié de sauvegarder et pour finir, ma voiture est tombée en panne ! – **6.** La maison est en bon état ? – **7.** Il y a des crêperies, en Bretagne ? – **8.** Il y a assez à manger ? – **9.** Il fait un temps de chien, n'est-ce pas ? – **10.** Il fait un froid de canard*/Ça caille * !

6 *(Réponse possible)* Nous sommes dans l'arrière-pays d'une région méridionale, peut-être en Provence, sur la Côte d'Azur ou en Corse. A l'entrée d'un hameau, situé en pleine campagne, on distingue plusieurs vieilles maisons de pierre, à la forme plus ou moins biscornue. Il s'agit probablement de la fin du printemps ou du début de l'été, car la région est verdoyante, mais on voit qu'il y fait très chaud. Il n'y a pas un chat dans les rues. Au fond, on voit une chaîne de petites montagnes, elles aussi verdoyantes.

Unité 9 — Demander ou donner des nouvelles

Exercices page 45

1 **1.** V – **2.** F – **3.** V – **4.** F

2 **1.** Elle se sera réveillée trop tard. – **2.** Il l'aura rangé dans le placard de droite. – **3.** Il aura été retardé par les embouteillages. – **4.** Ils auront pris les décisions qui s'imposent. – **5.** Elle aura encore reçu des messages désagréables de sa hiérarchie.

3 **1.** son épingle – **2.** quoi, tenir – **3.** auras – **4.** se sont perdus – **5.** sont devenus – **6.** allusion

4 *(Réponses possibles)* **1.** Vous avez des nouvelles de Fabien et Lucile ? – **2.** Que devient Benoît ? – **3.** Où en sont-ils de leur déménagement ? – **4.** Qu'est-ce qu'il y a ? – **5.** Qu'est-il advenu du projet de rénovation de la cage d'escalier ?

Exercices page 47

1 **1.** sans compter – **2.** Qu'est-ce que j'apprends ? – **3.** des déboires sentimentaux – **4.** belle lurette/des lustres – **5.** Il paraît

2 *(Réponses possibles)* **1.** Eh bien dis-donc, il s'en passe de belles ! – **2.** Tu peux me raconter en un mot ce qui s'est passé dans ta vie ? / Eh oui, de l'eau a coulé sous les ponts ! – **3.** À ce point-là ? – **4.** Que veux-tu, ils n'ont jamais été très prudents financièrement. – **5.** Eh oui, sans entrer dans les détails, de l'eau a coulé sous les ponts, depuis 5 ans !

3 *(Réponses possibles)* **1.** Comment s'est passé ton voyage en Inde ? – **2.** Il s'en est passé, des choses ! – **3.** Apparemment, notre voisine a quitté son mari et s'est enfuie avec son professeur de violon. – **4.** J'en suis au point où j'envisage de quitter l'entreprise. – **5.** Ça fait belle lurette qu'on ne s'est pas vu(e)s !

Unité 10 Aider

Exercices page 49

1 **1.** Si tu pouvais venir avec moi, ce serait plus facile. – **2.** Et si vous vous serviez de ce logiciel ? – **3.** Si nous défaisions ces cartons ? – **4.** Et si tu triais ces vieux papiers ? – **5.** Si vous ouvriez cette fenêtre ? – **6.** S'ils avaient recours à... ?

2 **1.** trier – **2.** déménagement – **3.** encombrante – **4.** emballer, cartons – **5.** déménageurs – **6.** déballer

3 *(Réponses possibles)* **1.** Vous voulez que je vous donne un coup de main* pour repeindre... ? – **2.** Si tu as besoin de quoi que ce soit, appelle-moi ! – **3.** Merci, vous me tirez une épine du pied ! – **4.** Si cela peut vous dépanner*, je peux garder vos enfants aujourd'hui. – **5.** J'ai un petit service à vous demander : vous pourriez m'aider à porter ce carton ? – **6.** J'aurai recours à une entreprise de nettoyage.

Exercices page 51

1 **1.** F – **2.** F – **3.** V – **4.** F – **5.** V

2 **1.** se met/est – **2.** coopération, contribue/concourt – **3.** a prêté – **4.** enlève – **5.** reconnaissants, soutien/appui – **6.** soutien, a contribué

3 **1.** Je resterai/serai à tes côtés chaque fois que tu en auras besoin. – **2.** contribuer/concourir – **3.** Je suis de tout cœur avec eux. – **4.** le bras droit – **5.** épaulé/secondé – **6.** faire appel à moi – **7.** réconforter ces personnes/leur apporter du réconfort.

4 *(Réponse possible)* Chère Madame,

J'ai appris tout à l'heure le terrible accident qui a coûté la vie à votre père. Je suis désolée pour vous de l'épreuve que vous traversez et je vous présente mes condoléances. Je suis de tout cœur avec vous et j'espère que votre entourage proche vous apportera le soutien et le réconfort dont vous avez besoin.

Si je peux vous être utile d'une manière ou d'une autre, n'hésitez pas à faire appel à moi.
Bien à vous.

Unité 11 — Demander, accepter, refuser

Exercices page 53

1 *(Réponses possibles)* **1.** s'en aille toute seule en Asie. – **2.** entreprenne ce voyage, à condition qu'elle soit accompagnée par des amis. – **3.** sachent les conjugaisons des verbes. – **4.** lui fassent confiance. – **5.** aient tout le matériel nécessaire à leur disposition.

2 *(Réponses possibles)* **1.** Elle a fait la fine bouche*. – **2.** Il ne va pas cracher* dans la soupe. – **3.** Elle ne leur demande pas la lune* ! – **4.** Je leur ai fait avaler la pilule*. – **5.** Elle ne sait pas sur quel pied danser*.

3 *(Réponses possibles)* **1.** J'aurais voulu aller voir ce spectacle de danse. – **2.** Vos parents ont-ils accepté que tu t'inscrives à l'École des Beaux-Arts ? – **3.** Vous consentiriez à ce que nous garions notre camion de déménagement devant chez vous ? – **4.** Tu pourrais envisager de venir à la grande réunion de famille du mois de juin ? – **5.** Vous pensez que la banque accepterait de nous prêter la somme nécessaire à l'achat d'une voiture ? – **6.** Je trouve inadmissible que ta mère ose se mêler de l'éducation de nos enfants ! – **7.** Vous êtes vraiment obligé(e) de répondre à votre chef sur ce sujet ?

Exercices page 55

1 **1.** me permets – **2.** l'amabilité – **3.** saurais – **4.** mesure – **5.** moyennement, chaud* – **6.** suite

2 **1.** Je vous saurais gré de bien vouloir me donner... – **2.** Serais-tu en mesure de – **3.** ne s'est pas fait prier – **4.** sommes en quête d'un appartement – **5.** me tente moyennement – **6.** Veuillez – **7.** la sourde oreille.

3 *(Réponses possibles)* **1.** À vrai dire, cela me tente moyennement... – **2.** je ne suis pas très chaud* pour le faire – **3.** Oui, bien entendu – **4.** Oh oui, il ne s'est pas fait prier. – **5.** Non, malheureusement, il n'a pas donné suite à ma demande.

4 *(Réponse possible)*

Monsieur,

Étudiant(e) en biologie, je souhaiterais faire une thèse sur un sujet relevant de votre spécialité. Serait-il possible de nous rencontrer pour en parler ? Je suis libre tous les vendredis, si cela vous convenait. Je vous remercie par avance de votre attention et vous prie d'agréer, Monsieur, mes salutations respectueuses.

Unité 12 Réunions, conférences

Exercices page 57

1 1. F – 2. V – 3. F – 4. V – 5. F – 6. F

2 *(Réponses possibles)* **1.** Serais-tu dispo* mardi prochain ? – **2.** Vendredi prochain, ça t'irait pour déjeuner ? – **3.** Serait-il possible de changer l'heure de la réunion de demain ? – **4.** Vous pourriez me communiquer vos disponibilités ? – **5.** Est-ce que mardi à 15 h vous conviendrait ? – **6.** J'aurais voulu que tu me donnes les coordonnées du sous-traitant.

3 **1.** chargé – **2.** décommander – **3.** faux bond – **4.** cale* – **5.** suis – **6.** pris, créneau

4 **1.** bouscule mon planning/mon agenda – **2.** à vous – **3.** décommandé – **4.** Quelles sont vos disponibilités ? – **5.** très prise/débordée, un créneau – **6.** Quel est l'ordre du jour ?

Exercices page 59

1 1. V – 2. F – 3. F – 4. V – 5. V

2 **1.** un exposé/topo* – **2.** en charge – **3.** dépasse, imparti – **4.** pied levé – **5.** convocations, intervenants, déroulement – **6.** désisté, nous fasse, bond – **7.** communications, actes

3 **1.** au pied levé – **2.** interviendra dans le congrès – **3.** Convenons d'une date – **4.** se désister – **5.** les convocations – **6.** le déroulement

4 *(Réponses possibles)* **1.** le lieu où pourrait se tenir la table ronde. – **2.** nous soumettront leurs communications. – **3.** c'est notre service qui se chargera de la logistique. – **4.** lors du prochain congrès sur le sujet. – **5.** ton temps de parole/le temps qui t'est imparti.

Unité 13 Les responsabilités

Exercices page 61

1 1. V – 2. F – 3. V – 4. V – 5. V – 6. F

2 **1.** Je n'y suis pour rien – **2.** ne tient pas la route – **3.** est mis en cause/mouillé* – **4.** nie s'être jamais rendue – **5.** Nicolas traîne des casseroles. – **6.** n'a pas à se justifier.

3 *(Réponses possibles)* **1.** Il déclare n'y être pour rien/Il nie être impliqué dans ce vol. – **2.** Il/elle ne va pas se laisser marcher sur les pieds* – **3.** Il/elle est de bonne foi. – **4.** Il/elle ne se laisse pas faire/Il/elle ne se laisse pas intimider par son directeur. – **5.** Il/elle nie connaître ou avoir vu quelqu'un.

Exercices page 63

1 1. V – 2. F – 3. F – 4. V – 5. F

2 1. carrure – 2. petits souliers* – 3. les épaules – 4. impute – 5. lave les mains – 6. vante

3 1. Je m'en lave les mains ! – 2. je ne vous le cache pas – 3. s'est défaussé – 4. mettre cet échec sur le compte de l'incompétence – 5. assume – 6. vante les mérites

4 *(Réponses possibles)* 1. mener à bien ce projet de grande envergure. – 2. ce poste exige une grande disponibilité personnelle – 3. d'un problème de compatibilité informatique – 4. j'ai oublié d'envoyer à temps l'ordre du jour de la réunion. – 5. la réorganisation du service.

Unité 14 Gérer les conflits

Exercices page 65

1 1. F – 2. V – 3. V – 4. F – 5. V – 6. F

2 1. taper – 2. de l'huile – 3. grands chevaux* – 4. a traité(e) – 5. a passé – 6. partie, a monté

3 1. est montée sur ses grands chevaux* – 2. désobligeante – 3. a passé un savon à son fils/a engueulé* son fils – 4. s'en est-il pris à Suzanne – 5. Le bras de fer – 6. c'est tout de même un peu fort !

4 *(Réponses possibles)* 1. On m'accuse de négligence alors que je suis submergé(e) de travail ! – 2. Si le colis n'a pas été livré par la poste alors que je l'ai posté à temps, ce n'est pas ma faute ! – 3. Je suis arrivé(e) en retard pour accueillir le client, qui devait signer un gros contrat avec notre entreprise... – 4. Ma fille de 16 ans est partie toute la journée sans me prévenir, je me suis fait un sang d'encre. – 5. Mes voisins sont en procès, chacun accuse l'autre d'empiéter sur son territoire, je ne vois pas comment cela pourrait enfin se calmer !

Exercices page 67

1 1. désaccord, différend – 2. est remontée, se braque* – 3. une conciliation – 4. désamorcer, arbitrer – 5. diplomate, recoller les morceaux*.

2 1. désamorcer – 2. brusquer – 3. se braque* – 4. par l'entremise/par l'intermédiaire, finesse/tact/doigté – 5. remonté – 6. différend/ désaccord

3 *(Réponses possibles)* 1. Virginie joue les intermédiaires, elle doit faire preuve de diplomatie. Elle va essayer de recoller les morceaux*. – 2. Il y a de l'eau dans le gaz* entre elles ! – 3. Je ferai tout pour calmer le jeu avant que cela ne s'envenime. – 4. Il est remonté contre lui. – 5. Il est difficile de faire plier Gaëlle !

Exercices page 69

1. 1. V – 2. F – 3. F – 4. V – 5. F

2. 1. se profile – 2. de ne pas froisser les susceptibilités. – 3. elle a pris des gants. – 4. Le dénouement/l'issue – 5. campés sur leurs positions

3. *(Réponses possibles)* **1.** Il a pris des gants. – **2.** Il a ménagé la chèvre et le chou. – **3.** Elle n'a pas cédé un pouce de terrain. – **4.** Nous allons couper la poire en deux.- **5.** J'ai arrondi les angles. – **6.** Chacun doit mettre de l'eau dans son vin/doit faire un pas vers l'autre.

Unité 15 Plaisanter, tromper

Exercices page 71

1. 1. V – 2. F – 3. F – 4. F – 5. V

2. 1. mène – 2. comptant – 3. payes – 4. avoir – 5. la fait

3. *(Réponses possibles)* **1.** Il se paye souvent leur tête*. – **2.** Elle se fait avoir/elle prend tout pour argent comptant. – **3.** C'était du bidon*, il a mené tout le monde en bateau*. – **4.** Elle n'a pas été dupe, on ne la lui fait pas*. – **5.** Il aime blaguer*, il nous fait souvent marcher. – **6.** Il s'est fait passer pour un déménageur. – **7.** On ne sait pas si c'est du lard ou du cochon*.

Exercices page 73

1. 1. V – 2. F – 3. V – 4. F – 5. V

2. 1. de salades*/d'histoires – 2. cousues de fil blanc – 3. *mordicus* – 4. foi – 5. le dos – 6. colporter – 7. le sens du poil*

3. *(Réponses possibles)* **1.** Luc est un tartuffe, c'est de la tartufferie. – **2.** Il le caresse dans le sens du poil*. – **3.** C'est cousu de fil blanc ! – **4.** Elle colporte des ragots*. – **5.** Elle ment comme elle respire. – **6.** Elle est de mauvaise foi.

Unité 16 Allusions et sous-entendus

Exercices page 75

1. *(Réponses possibles)* **1.** Ce spectacle n'était pas inintéressant. – **2.** Elle ne manque pas de générosité. – **3.** Ce vin n'est pas mauvais. – **4.** Je ne dis pas le contraire. – **5.** Je ne dirais pas non. – **6.** Elle n'est plus de la première jeunesse.

2. 1. Plutôt mourir ! – 2. l'horreur ! – 3. n'y voit plus grand-chose – 4. n'y verra pas d'inconvénient – 5. Inutile de présenter – 6. Bonjour, l'ambiance ! / C'est l'horreur !

3 *(Réponses possibles)* **1.** Bonjour, le plaisir de la soirée ! Ce sera l'horreur ! – **2.** Ce n'est pas affreux, comme perspective/Il y a pire malheur ! – **3.** Je ne suis pas en avance ! – **4.** Quitter Paris ? Tu veux rire ? / Plutôt mourir ! – **5.** On n'y voit pas grand-chose, ici. – **6.** Bonjour, la générosité !

Exercices page 77

1 **1.** faire un dessin* – **2.** gai – **3.** voilée – **4.** veux dire – **5.** soit dit – **6.** la perche*

2 **1.** parle à demi-mots, lire entre les lignes – **2.** il nous a laissé entendre, mais de manière détournée – **3.** te faire un dessin*, tu vois le tableau* – **4.** elle a insinué

3 *(Réponses possibles)* **1.** Elle lit entre les lignes. – **2.** Ce n'est pas la peine de lui faire un dessin*. – **3.** Zohra a tendu une perche* à Oscar. – **4.** Ils ont essayé de lui tirer les vers du nez*. – **5.** Tu vois le tableau* ! – **6.** Noémie a pris la tangente*.

Bilan n° 2

Exercices pages 78 et 79

1 **1.** un coup de main* – **2.** prier – **3.** advenu – **4.** l'entremise, l'intermédiaire – **5.** ce soutien, cet appui – **6.** rejette – **7.** des lustres, belle lurette – **8.** vos mérites – **9.** la soupe – **10.** avoir

2 *(Réponses possibles)* **1.** Je pourrais trouver un créneau vendredi matin. – **2.** elle l'a engueulé(e)* ! – **3.** il est resté campé sur ses positions. – **4.** elle est cousue de fil blanc. – **5.** elle n'y est pour rien. – **6.** il se défausse sur/Non, il s'en lave les mains. – **7.** ils ne se sont pas fait prier ! – **8.** Nous en sommes au début. – **9.** elle était dans ses petits souliers*. – **10.** il prend tout pour argent comptant !

3 **1.** g – **2.** i – **3.** b – **4.** h – **5.** j – **6.** a – **7.** c – **8.** e – **9.** f – **10.** d

4 **1.** l'eau, gaz* – **2.** a refait – **3.** mis, le fait accompli – **4.** faux bond – **5.** leur fait – **6.** la route* – **7.** quel pied* – **8.** salades*/histoires – **9.** traite – **10.** mourir

5 *(Réponses possibles)* **1.** Je me suis fait avoir. – **2.** Je suis de tout cœur avec vous. – **3.** Où en êtes-vous du projet ? / On en est où du projet ? – **4.** Je n'y suis pour rien. – **5.** Je ne suis pas très chaud – **6.** Il y a de l'eau dans le gaz* dans cette équipe – **7.** Qu'est devenu Antoine ? – **8.** Vous avez un créneau libre ? – **9.** On ne me la fait* pas. – **10.** Je ne me laisse pas marcher sur les pieds*.

6 **1.** au pied levé – **2.** a fait faux bond – **3.** est remontée – **4.** se paye la tête* de – **5.** marcher sur les pieds*. – **6.** pas très chaud pour – **7.** vous donner un coup de main* pour – **8.** m'enlève un poids – **9.** à même de – **10.** elle s'en est prise à lui.

Unité 17 Le débat et l'opinion

Exercices page 81

1 **1.** de ne pas avoir pu aborder... - **2.** de s'être occupée – **3.** de ne pas m'être réveillée – **4.** de vous être battus – **5.** de ne pas être parvenue – **6.** de m'avoir convié – **7.** de nous avoir donné...

2 **1.** En guise de conclusion – **2.** cédera – **3.** tenons à – **4.** clore/ conclure – **5.** abordé

3 *(Réponses possibles)* **1.** par une analyse précise des statistiques. – **2.** pour moi d'avoir été convié(e) à cette soirée. – **3.** remercier les organisateurs de cette manifestation. – **4.** un certain nombre de sujets cruciaux pour notre recherche. – **5.** le débat par un tour de table. – **6.** je souhaiterais élaborer une synthèse des différentes contributions.

4 *(Réponses possibles)* **1.** Je tiens à vous remercier chaleureusement d'avoir accepté notre invitation. – **2.** C'est un honneur et un plaisir d'avoir été des vôtres. – **3.** Je vous souhaite la bienvenue dans ce château. – **4.** Je donne la parole à/je cède ma place à mon voisin. – **5.** Pour clore cette réunion, je vous propose un bref rappel des décisions prises.

Exercices page 83

1 **1.** Force – **2.** Quant – **3.** ma part – **4.** sentiment/opinion/avis – **5.** prise – **6.** de cela

2 **1.** Pour mon compte/Quant à moi – **2.** Il ne partage pas l'opinion de Manon. – **3.** maintient/soutient – **4.** Quel regard portez-vous sur/Quel est votre sentiment sur – **5.** Il y a de cela dans/Vous n'avez pas tort.

3 *(Réponses possibles)* **1.** La situation ne s'est guère améliorée, contrairement aux promesses ! – **2.** Ne pensez-vous pas que la stratégie adoptée manque de clarté ? – **3.** Je suis convaincu(e) que nous atteindrons nos objectifs à très brève échéance. – **4.** Reconnaissez que cet outil informatique nous a été bien utile. – **5.** L'équipe dirigeante n'a-t-elle pas échoué à rétablir la confiance des investisseurs ?

4 *(Réponses possibles)* **1.** ce projet est viable. – **2.** le gouvernement a eu raison de prendre cette décision. – **3.** le résultat n'est pas à la hauteur de nos attentes. – **4.** pointez du doigt les erreurs commises dans cette étude. – **5.** cet outil présente de graves défauts de fabrication – **6.** j'ai la ferme intention de ne pas me mêler de ce projet.

Exercices page 85

1 **1.** Qu'il s'agisse d'une bonne idée, je le reconnais. – **2.** Qu'elle n'ait rien vu, nous en sommes convaincus. – **3.** Qu'elles ne se soient rendu compte de rien, c'est bizarre. – **4.** Qu'elle ne sache pas le faire ne te paraît pas étrange ? – **5.** Que le rendez-vous se soit mal passé, elle ne le nie pas. – **6.** Que je prenne le contre-pied de mes collègues, je l'avoue.

2 **1.** prêchez – **2.** une chose pareille – **3.** tort, raison – **4.** longueur d'ondes – **5.** pire – **6.** grand dam

3 **1.** Je sais bien que tu ne t'intéresses pas à moi ! – **2.** Il me semble important de bien organiser les choses avant de nous lancer dans ce projet. – **3.** David a refusé la mission délicate que son chef voulait lui confier. – **4.** Mes parents seront toujours là pour m'aider, quoi qu'il arrive. – **5.** Ce serait bien que Bastien aille voir sa grand-mère. – **6.** Moi, je déteste ces gens-là !

Unité 18 Dire ou ne pas dire ?

Exercices page 87

1 **1.** Elle aurait commis – **2.** Ils se seraient intéressés – **3.** Ces révélations seraient – **4.** On se serait rendu compte que cet homme aurait un casier... – **5.** Ce serait Carine qui aurait colporté – **6.** Ces étudiants ne se seraient pas inscrits

2 **1.** Vous ne savez pas la dernière* ? – **2.** Je lui en ai glissé un mot. – **3.** Le bruit court – **4.** Nous en avons appris de belles sur nos voisins. – **5.** Qu'est-ce que tu me racontes*/chantes* ?

3 *(Réponses possibles)* **1.** Nous voilà bien ! – **2.** Eh bien, j'en apprends de belles ! / Qu'est-ce que vous me racontez* ? – **3.** C'est un secret de Polichinelle, hélas... – **4.** Première nouvelle ! – **5.** Je sais et on dit même qu'elle va durer plusieurs jours.

Exercices page 89

1 **1.** remettiez – **2.** dise, vérités – **3.** ambages – **4.** la couleur* – **5.** ne mâche* pas – **6.** intarissable – **7.** ton péremptoire

2 **1.** rabâche – **2.** est tout de suite entré dans le vif du sujet – **3.** en long et en large – **4.** remettre les pendules à l'heure* – **5.** est intarissable – **6.** carrément*

3 *(Réponses possibles)* **1.** Elle n'a pas mâché ses mots. – **2.** Certainement, d'autant plus qu'il est toujours cassant. – **3.** elle n'arrête pas de rabâcher les mêmes souvenirs. – **4.** Elle a parlé sans ambages/elle a tout de suite annoncé la couleur*. – **5.** Il lui a dit ses quatre vérités. – **6.** Elle ne s'est pas étalée*.

Exercices page 91

1 1. F – 2. F – 3. F – 4. V – 5. V

2 1. le sceau – 2. vantée – 3. taciturne, la bouche – 4. filtré – 5. allusion – 6. Gardez, s'ébruiter.

3 1. ne s'est pas vanté – 2. passé sous silence – 3. sous le sceau du secret. – 4. divulguée – 5. a fait une réponse laconique

4 *(Réponses possibles)* 1. Oui, fais-moi confiance, cela restera entre nous. – 2. Non, elle n'y a fait aucune allusion. – 3. Non, elle a fait une réponse évasive à la question. – 4. Non, il n'a pas ouvert la bouche de la réunion/il est resté muet/il a fermé sa gueule*.

Unité 19 Réagir, commenter

Exercices page 93

1 1. se passe – 2. quoi encore* – 3. ne tienne – 4. en voilà – 5. courir – 6. idée

2 1. « Y en a »*, je te jure ! – 2. Ça, c'est la meilleure* ! – 3. Ça ne va pas, la tête* ?! – 4. Tu ne peux pas te remuer un peu ? – 5. Tu peux toujours courir* !

3 *(Réponses possibles)* 1. Je voudrais un nouveau téléphone mobile et un nouvel ordinateur pour Noël ! – 2. Le voisin voudrait qu'on arrose ses plantes en son absence. – 3. Tu ne t'occupes jamais de moi ! – 4. Tu as vu ? C'est la petite fille qui donne des ordres à son grand-père ! – 5. Ce serait bien de repeindre ma chambre. – 6. Paul a eu la gentillesse de prévenir qu'il ne pourrait pas venir ce soir.

4 *(Réponse possible)* Les deux gamins* à moto « font les fous » dans la rue. Ils cabrent leur moto et font peur à tout le monde, y compris au chien. Les passants s'exclament : « Ils sont fous ou quoi* ? Regardez, celui-là n'a même pas de casque sur la tête ! », « On n'a pas idée de rouler de cette manière ! », « Ça ne va pas, non* ? », « Ils vont renverser quelqu'un ! Y en a*, je te jure... »

Exercices page 95

1 1. valoir/mousser* – 2. tous ses états. – 3. Rien – 4. trinquent* – 5. bien lui fasse

2 1. Bravo, c'est du joli ! – 2. à l'improviste – 3. Et après ? / Grand bien leur fasse ! – 4. au dépourvu – 5. la moindre des choses – 6. Ça m'est sorti* comme ça, sans réfléchir.

3 *(Réponses possibles)* **1.** Les enfants peuvent t'aider à débarrasser la table. – **2.** Il paraît que Vincent a été promu à la direction. – **3.** C'est toujours la même chose, ce sont toujours les pauvres qui trinquent* ! – **4.** Nos voisins n'aiment pas la manière dont nous avons arrangé le jardin. – **5.** Tu lui as vraiment dit ses quatre vérités ? – **6.** Nos collègues vont aller dîner ensemble, mais ils ne nous ont pas invités. – **7.** Tu sais que Céline a rendu son rapport avant tout le monde ?

Exercices page 97

1 **1.** sois – **2.** passe/traverse – **3.** teniez – **4.** a – **5.** est

2 **1.** un enfer – **2.** tient, épreuves – **3.** un drame – **4.** pense, relativise – **5.** ma parole – **6.** compter

3 *(Réponses possibles)* **1.** Elle vit une dure épreuve après avoir vécu un grand malheur. – **2.** Elle tient le coup*, elle encaisse* avec courage. – **3.** C'est la loi des séries, ma parole ! – **4.** Il fait un drame d'une simple contrariété. – **5.** Cela relativise les choses.

4 *(Réponses possibles)* **1.** que vous traversiez une dure épreuve. – **2.** à ceux qui ont tout perdu, cela relative les choses. – **3.** beaucoup de courage dans cette épreuve. – **4.** tout aille mieux et que vous soyez sur pied très bientôt. – **5.** vous êtes bien soigné.

Unité 20 Parler d'un projet

Exercices page 99

1 **1.** au point mort – **2.** aperçu – **3.** en est où, prend tournure – **4.** œuvre, place – **5.** relancer

2 **1.** tournure – **2.** procédé – **3.** relancer – **4.** aperçu – **5.** ont mis/ mettrons – **6.** tirer, comète

3 **1.** Où en est le projet ? – **2.** Il est dans les tuyaux*. – **3.** Ils aboutiront à un résultat concluant. – **4.** Nous en sommes au point mort. – **5.** Elle nous a donné un aperçu du projet.

4 *(Réponses possibles)* **1.** Où en est le chantier ? – **2.** Vous pensez aboutir à un compromis ? – **3.** Est-ce que cela commence à prendre tournure ? / Comment comptez-vous procéder ? – **4.** Est-ce que votre rapport est en bonne voie ? – **5.** Est-ce que vous avez avancé sur le sujet ? – **6.** Quel dispositif comptez-vous mettre en place ?

Exercices page 101

1 **1.** exigences – **2.** en plan* – **3.** bousculer – **4.** s'est dégradée – **5.** renforcer – **6.** le tir*

2 **1.** inéluctable – **2.** ce nouveau tournant – **3.** s'achemine vers – **4.** est resté en plan*/n'a pas avancé d'un pouce* – **5.** s'est dégradée – **6.** le cours – **7.** relevé

3 *(Réponses possibles)* **1.** Je constate que les résultats du premier trimestre ne sont pas bons. – **2.** Où en est le projet de développement commercial ? – **3.** On aimerait bien changer le cours des choses, car cette évolution ne favorise pas notre entreprise. – **4.** Il va falloir encore une fois nous adapter à cette nouvelle situation. – **5.** Apparemment, la situation de l'entreprise s'est détériorée. – **6.** Il semble bien que l'entreprise reparte vers une nouvelle période.

Unité 21 Évaluer un travail

Exercices page 103

1 **1.** Ne craignons pas – **2.** Sois – **3.** Ne te sens pas – **4.** Rendez-vous compte – **5.** Ayons

2 **1.** mémoire – **2.** une coquille/une faute de frappe – **3.** faute d'orthographe – **4.** une faute de grammaire – **5.** une corvée

3 **1.** ne tenait pas debout/n'avait ni queue ni tête/n'était ni fait ni à faire – **2.** est superficielle – **3.** se contente de peu – **4.** C'est du travail d'amateur. – **5.** bâclé

4 *(Réponses possibles)* **1.** C'est du travail d'amateur ! – **2.** Ce n'est pas d'une grande originalité, mais ça a le mérite d'être clair/compréhensible. – **3.** C'est n'importe quoi* ! / C'est ni fait ni à faire*. – **4.** Je ne comprends pas très bien où tu veux en venir. – **5.** C'est indigent.

Exercices page 105

1 **1.** rendre – **2.** tarit – **3.** tire – **4.** jeter – **5.** atteindre, fignole*

2 **1.** de la gnognote* – **2.** fignole* – **3.** tire son chapeau* à – **4.** encensé – **5.** un concert de louanges. – **6.** ne tarit pas d'éloges sur

3 **1.** Que pensez-vous de cette thèse ? – **2.** Ce physicien semblait étonné de recevoir le Prix Nobel. – **3.** Quel travail tu as fourni avec ce livre ! – **4.** Je te félicite pour ta prestation, c'était tout à fait remarquable. – **5.** L'acteur a eu du succès ?

4 *(Réponses possibles)* **1.** pour la qualité de votre travail. – **2.** sur les aptitudes de ce jeune violoncelliste – **3.** à l'équipe soignante. – **4.** à la fin de mon concert. – **5.** sur la qualité de ce ballet. – **6.** de rester aussi modeste après un tel succès. – **7.** au courage de ces jeunes gens qui ont sauvé des vies.

Unité 22 Préférence, indifférence

Exercices page 107

1 **1.** tenterait – **2.** préférence – **3.** prédilection – **4.** point d'honneur – **5.** faveur – **6.** passe – **7.** un faible

2 **1.** Ça te tenterait de partir deux semaines en Andalousie ? – **2.** Vous ne vous occupez pas de répondre au message de Sophie ? – **3.** Tu veux aller voir un ballet à l'Opéra de Paris ? – **4.** On les invite à déjeuner ou à dîner ? – **5.** Je ne sais pas quand il vaut mieux passer au magasin de bricolage. – **6.** J'ai l'impression que vous faites passer le bonheur de vos enfants avant tout. – **7.** Faut-il vraiment rendre ce rapport avant jeudi ?

3 *(Réponses possibles)* **1.** faire une randonnée dans les Alpes ? – **2.** de préserver mes amitiés. – **3.** penser que Louise se sentirait mieux avec nous. – **4.** ce genre de spectacle. – **5.** ne pas montrer à quel point j'ai été vexé(e).

Exercices page 109

1 **1.** V – **2.** V – **3.** F – **4.** F – **5.** V

2 **1.** bout des lèvres – **2.** les trous de nez* – **3.** le cadet – **4.** passer/priver – **5.** chaud* – **6.** très peu

3 **1.** Il n'en a rien à faire de l'opinion des autres. – **2.** Elle ne peut pas l'encadrer*. – **3.** Il *est* plus « entrée » que « dessert ». – **4.** Elle ne peut pas s'en passer ! – **5.** Elle me sort par les trous de nez* !

Unité 23 Gaffes, erreurs

Exercices page 111

1 **1.** se mélange – **2.** dissiper – **3.** confond, avec – **4.** distinguer, prend, pour

2 **1.** Cela prête à confusion. – **2.** Je me trompe toujours/je confonds toujours/je me mélange les pinceaux*. – **3.** C'est un vrai quiproquo/une embrouille*. – **4.** Je les confonds toujours. – **5.** Il faut que je dissipe ce malentendu.

3 *(Réponses possibles)* **1.** J'étais convaincu(e) que tu m'en voulais de mon absence. – **2.** En Bourgogne existent le château de Cormatin et le château de Commarin. – **3.** Apparemment, Bérénice pensait que Louis était jaloux d'elle. – **4.** Je me suis trompé(e) dans la datation de ce tableau. – **5.** Je confonds toujours ces deux routes, elles se ressemblent tellement !

Exercices page 113

1 **1.** V – **2.** F – **3.** F – **4.** V

2 **1.** draps* – **2.** défaillance – **3.** pirouette – **4.** la gêne – **5.** rattraper le coup*

3 **1.** l'autruche*, de gaffe* – **2.** draps* – **3.** son erreur, le coup* – **4.** ânerie*, gaffe* – **5.** un lapsus.

4 1. a fait un lapsus. – 2. faire l'autruche* – 3. s'en est sortie par une pirouette – 4. Par mégarde – 5. de beaux draps* – 6. tente de se rattraper, mais il s'enfonce* – 7. âneries/bêtises – 8. a fait une terrible gaffe.

Bilan n° 3

Exercices pages 114 et 115

1 1. quiproquo, malentendu. – 2. la parole – 3. évasive, laconique – 4. mon compte, ma part – 5. maintient, soutient – 6. regard – 7. ragots*, commérages – 8. tient le coup*, encaisse* – 9. œuvre, place – 10. bien mené.

2 1. F – 2. F – 3. V – 4. F – 5. V – 6. F – 7. F – 8. V – 9. F – 10. V

3 *(Réponses possibles)* 1. il ne s'est pas étalé. – 2. ça ne me fait ni chaud ni froid. – 3. il cherche à se faire mousser*. – 4. il n'a pas avancé d'un pouce/il est resté en plan*. – 5. c'est ni fait ni à faire. – 6. elle est restée muette – 7. je lui tire mon chapeau*. – 8. il se mélange les pinceaux*. – 9. elle a été laconique. – 10. elle est intarissable sur le sujet !

4 1. détériorée – 2. est le cadet de mes soucis. – 3. cassant – 4. ne tient pas debout. – 5. des âneries – 6. n'a pas avancé d'un pouce. – 7. C'est un concert de louanges. – 8. J'aimerais autant – 9. passe avant tout. – 10. prend tournure ?

5 1. c – 2. j – 3. f – 4. h – 5. g – 6. i – 7. d – 8. b – 9. e – 10. a

6 *(Réponses possibles)* 1. Je me demande si Fabien n'est pas un peu jaloux de son frère. – 2. Votre chef et vous-même êtes-vous d'accord sur le dispositif à mettre en place ? – 3. De toute façon, je sais bien que personne ne se préoccupe de moi ! – 4. Tiens, il paraît que le directeur va être nommé dans une autre région. – 5. Désolé, je n'ai pas eu le temps de finir à temps. – 6. Manon voudrait à la fois partir en vacances avec des copines et aussi demander de l'argent à sa grand-mère. – 7. Tu dois être assez bouleversé(e) par cette nouvelle ! – 8. Si on ne me répond pas tout de suite, je vais tout casser dans la boutique ! – 9. Vous lui avez répondu qu'il était fou ? – 10. Oh là là, après mon fils, c'est ma fille qui vient d'attraper la grippe !

Unité 24 Les comportements

Exercices page 117

1 1. Quels que soient les obstacles – 2. tout en étant – 3....encore que parfois il ne finisse pas – 4. Quelle que soit leur fatigue – 5....et pourtant

2 **1.** tendance – **2.** vous empêcher de – **3.** montre – **4.** sens – **5.** de fer, gant, velours

3 *(Réponses possibles)* **1.** C'est quelqu'un de bien. – **2.** Il est d'un abord facile, il est très avenant. – **3.** C'est quelqu'un de droit/d'une grande droiture/d'une grande intégrité – **4.** Il a une main de fer dans un gant de velours. – **5.** Elle ne peut pas s'empêcher de tout régenter.

4 *(Réponses possibles)* **1.** de m'inquiéter pour lui. – **2.** de l'engagement. – **3.** de modifier notre comportement en fonction de la situation. – **4.** à voir le bon côté des choses. – **5.** d'un sang-froid et d'une dignité remarquables.

Exercices page 119

1 **1.** le désert – **2.** nous en tenir – **3.** quel droit – **4.** les ponts – **5.** tirer, trait – **6.** est fini – **7.** avez

2 **1.** Il a coupé les ponts avec eux. – **2.** Je sais à quoi m'en tenir sur Cédric. – **3.** Yasmina a tiré un trait sur cette période de sa vie. – **4.** Elle va faire le désert autour d'elle/elle risque de finir toute seule, dans son coin ! – **5.** C'est un fauteur de troubles.

3 **1.** est-ce qu'elle se permet de me critiquer ? – **2.** t'occuper de ce projet. – **3.** sur cette relation trop douloureuse. – **4.** pose de gros problèmes à l'équipe. – **5.** qu'on ne lui communique jamais les informations. – **6.** m'en tenir sur les relations entre ces deux personnes. – **7.** de leur milieu d'origine.

Exercices page 121

1 **1.** V – **2.** F – **3.** V – **4.** F – **5.** V – **6.** F

2 **1.** un sale* tour – **2.** se prend – **3.** des couleuvres* – **4.** a dépassé – **5.** près – **6.** me fier, double

3 *(Réponses possibles)* **1.** Tu sais qu'il a encore insulté ses voisins ? – **2.** J'ai appris que Charles, qui était tout sourire avec moi, a obtenu que je sois exclu du projet. – **3.** Josiane a encore une fois annulé notre rendez-vous. – **4.** Cet homme est à la fois malhonnête et antipathique. – **5.** Cet homme aura constamment tenté de te faire du mal. Tu as réussi à tirer un trait sur lui ? – **6.** Mathieu a été obligé d'accepter que son assistante devienne son chef. – **7.** Oriane est insupportable, elle se prend pour la grande spécialiste de la question, ce qui est loin d'être le cas.

Unité 25 Illusions, apparences et réalités

Exercices page 123

1 **1.** se font, cinéma* – **2.** au Père Noël – **3.** rêver – **4.** t'imagines, rêves – **5.** de l'esprit – **6.** ses désirs, réalités

2 **1.** croit au Père Noël/se fait des illusions – **2.** se croit – **3.** Détrompez-vous – **4.** voir les choses en face – **5.** aspire – **6.** terre-à-terre

3 *(Réponses possibles)* **1.** Papa, je pense que tu seras bientôt nommé directeur de l'entreprise ! – **2.** Tu sais, je pense qu'Aubin se voit déjà obtenir une médaille d'or au championnat. – **3.** Ils sont convaincus que la réunion internationale permettra de trouver une solution à cette guerre horrible. – **4.** Sabine se voit déjà chef de projet. – **5.** Les cousins sont invités à une réunion de conciliation chez notre tante. – **6.** À mon avis, tout le projet sera bouclé d'ici la fin de l'année. – **7.** Cela doit être lassant d'enseigner toujours la même chose !

Exercices page 125

1 **1.** Du coup* – **2.** de sorte que – **3.** Comme quoi* – **4.** de sorte que – **5.** Comme quoi*

2 **1.** payait, mine – **2.** sauver, apparences – **3.** crève* – **4.** a fait, figure – **5.** vraisemblance

3 **1.** payait pas de mine – **2.** Mine de rien – **3.** fait bonne figure – **4.** n'était que de façade – **5.** Selon toute vraisemblance – **6.** Il faut gratter un peu le vernis

4 *(Réponses possibles)* **1.** cette jeune femme toute fragile se révèle avoir une grande autorité. – **2.** ces deux-là ne peuvent pas se sentir – **3.** en réalité, ils sont brouillés. – **4.** c'est Bruno qui sera nommé chef de cabinet. – **5.** un peu abrupts, cette jeune femme s'avère pleine de finesse.

Exercices page 127

1 **1.** Alors que Léa propose/Léa a beau proposer – **2.** alors qu'il n'a pas – **3.** ne serait-ce que – **4.** tout de même – **5.** J'ai beau faire des efforts

2 **1.** il en est revenu. – **2.** se voiler la face/se mettre le doigt dans l'œil* – **3.** est tombé de haut – **4.** Je ne vous cache pas que – **5.** n'en revient pas que son collègue ait été licencié

3 *(Réponses possibles)* **1.** Il fait tout pour se faire bien voir de son chef. – **2.** Son attitude m'a ouvert les yeux. – **3.** Quelle désillusion/je tombe de haut – **3.** Il n'est pas né de la dernière pluie. – **4.** Il n'en revient toujours pas de sa réaction.

Unité 26 Manières et moyens

Exercices page 129

1 *(Réponses possibles)* **1.** à la légère/au sérieux – **2.** par ordre/avec soin/en commençant par établir un planning – **3.** efficacement – **4.** à la va-vite – **5.** les résultats avec soin/soigneusement

2 1. quatre chemins – 2. au sérieux – 3. mènera/a mené – 4. vous procédez/vous vous y prenez – 5. le tour, choses – 6. y faire

3 1. tambour battant – 2. n'y va pas par quatre chemins – 3. Elle prend cette tâche à la légère. – 4. Elle s'y prend bien/a le chic pour se faire accepter, elle sait y faire. – 5. à sa manière – 6. Il fonce tête baissée.

4 *(Réponses possibles)* 1. nous serons amenés à modifier notre tactique. – 2. que prendrons les choses, le ministre convoquera une réunion d'urgence. – 3. méthodiquement, en commençant par analyser les besoins. – 4. tête baissée dans ce projet. – 5. une enquête de satisfaction auprès de notre clientèle. – 6. tu t'y prendrais pour expliquer cette situation confuse ?

Exercices page 131

1 1. Nous avons fait la connaissance du directeur par l'intermédiaire/ par l'entremise d'Aude. – 2. Elle souffle le chaud et le froid. – 3. Il fera d'une pierre deux coups. – 4. Par quel moyen – 5. d'un coup d'œil – 6. Quel serait le meilleur moyen de – 7. à coups* de lettres

2 *(Réponses possibles)* 1. d'obtenir ce visa ? – 2. pour renverser toutes ces boîtes ? – 3. de repousser la date limite à la semaine prochaine ? – 4. de financements publics, ce théâtre est parvenu à monter plusieurs spectacles de qualité. – 5. mes voisins sont-ils arrivés à connaître l'adresse de ma résidence secondaire ? – 6. réunions qu'ils sont arrivés à trouver une solution.

3 *(Réponses possibles)* 1. Nous pourrions inviter Henri à déjeuner et lui parler de nos problèmes. – 2. Comment vous êtes-vous connus ? – 3. Je me demande comment cette ville parvient à avoir de si beaux jardins. – 4. Tu es sûr(e) que le contrat prévoit ce cas particulier ? – 5. Vous pourrez faire vos études à Paris ? – 6. Comment as-tu fait ton compte pour te fouler la cheville ?

Unité 27 Découragement, frustration, récupération

Exercices page 133

1 1. F – 2. V – 3. F – 4. V – 5. F – 6. F

2 1. en bave* – 2. l'a mauvaise – 3. en a gros sur le cœur/la patate* – 4. Il s'en fiche*. – 5. en a pris un coup*.

3 1. donner, tête – 2. gros, patate* – 3. bon – 4. saper* – 5. aient baissé – 6. à zéro

4 *(Réponses possibles)* **1.** Tu pourrais demander un coup de main* à ton frère. – **2.** Je vis seul avec les enfants à charge, et maintenant que je suis malade, je ne sais pas comment je vais y arriver. – **3.** Dis-donc, tu as encore tout cela à faire ? – **4.** À quoi bon accepter cette mission ? Je n'y arriverai jamais. – **5.** Je ne peux pas à la fois m'occuper de la conférence, être en réunion, aller chercher les enfants, et soigner mes vieux parents ! – **6.** Je suis découragée : quand je pense à tout le mal que je me suis donné pour mener à bien ce projet et qu'on me fait des critiques aussi futiles, cela donne envie de tout laisser tomber.

Exercices page 135

1 **1.** pouvez – **2.** s'efforce – **3.** liées, maître – **4.** bredouille – **5.** resté, faim

2 **1.** b – **2.** a – **3.** a, b, c – **4.** a, c – **5.** b, c

3 *(Réponses possibles)* **1.** Je ne comprends pas pourquoi cette réunion est organisée de cette manière. – **2.** Tu sais que ta collègue a dû partir très tôt ce matin ? – **3.** Je n'ai absolument pas envie d'aller à cette réunion de famille. – **4.** Que c'est pénible, les bus ne marchent pas bien aujourd'hui, on attend vraiment trop longtemps ! – **5.** Pourquoi ne prenez-vous pas la décision vous-même ?

Unité 28 Soucis, appréhensions, peurs

Exercices page 137

1 **1.** rassurée – **2.** se ronge – **3.** mes états – **4.** préoccupants – **5.** dans le mur* – **6.** soucis, de la nuit

2 **1.** fiche en l'air* – **2.** n'étions pas rassurés – **3.** file un mauvais coton* – **4.** se font du mauvais sang – **5.** se rongent les sangs – **6.** Ne vous en faites pas ! – **7.** est le cadet de mes soucis.

3 *(Réponses possibles)* **1.** Tu as l'air préoccupé. Qu'est-ce qui ne va pas ? – **2.** Les problèmes internes à mon équipe me tracassent. – **3.** Vous devez être très inquiet, non ? – **4.** Tu ne crois pas que tes vacances risquent d'être compromises ? – **5.** Je crains que Jocelyne ne coure à l'échec avec ce projet. – **6.** C'est dur de se battre contre des problèmes d'argent.

Exercices page 139

1 **1.** mène, large* – **2.** claque – **3.** dans ses petits souliers* – **4.** le trac – **5.** ses moyens – **6.** céder

2 **1.** redoute – **2.** s'affoler – **3.** Rien que d'y penser, elle en est malade. – **4.** ils se sont dégonflés* – **5.** patibulaire – **6.** n'en menait pas large*. – **7.** est froussard*

3 *(Réponses possibles)* **1.** Tu n'en mènes par large*, me semble-t-il... – **2.** Tu redoutes à tel point cette entrevue ? – **3.** Ça va, tu te sens prêt(e) pour l'examen ? – **4.** Vous redoutez vraiment cette réunion ? – **5.** J'ai un trac fou ! Rien que d'y penser, j'en suis malade. – **6.** Tu as dû avoir une peur bleue !

Unité 29 Exprimer ses sentiments

Exercices page 141

1 **1.** dissimuler, refouler – **2.** fait – **3.** manifester – **4.** inspire, manifeste – **5.** veut

2 **1.** prend mal – **2.** cacher/dissimuler, trahie, fondant – **3.** fusillé(e)s – **4.** suscite – **5.** donne, cours – **6.** éprouve, envers – **7.** fassions, sentimentalisme

3 **1.** a fondu en larmes – **2.** cache/dissimule – **3.** prend mal qu'on – **4.** m'inspire – **5.** de donner libre cours – **6.** Je m'en veux.

4 *(Réponses possibles)* **1.** Ce pauvre SDF m'inspire de la pitié. J'éprouve de la compassion envers ces gens qui ont tout perdu et vivent dans la rue. Parfois, j'ai même du mal à contenir mon émotion en les voyant. **2.** J'admire cette jolie danseuse. J'éprouve une certaine fascination pour cet art difficile.

Exercices page 143

1 **1.** ont tissé – **2.** s'ennuie – **3.** se sont tendus – **4.** d'humeur – **5.** blessé/froissé – **6.** il en est

2 **1.** Elle est en pleine confusion des sentiments. – **2.** Il ne supporte pas d'être pris en défaut – **3.** Ils s'aiment toujours, mais ils ne sont plus amoureux, il n'y a plus d'élan. – **4.** Ils ont commencé à tisser des liens. – **5.** Elle s'ennuie d'eux. – **6.** Il crée toujours des rapports de force.

3 *(Réponses possibles)* **1.** Oui, nous nous sentons très à l'aise/Non, nous ressentons un certain malaise. – **2.** Non, nos rapports se sont tendus. – **3.** À vrai dire, elle ne sait plus où elle en est ! – **4.** Oui, ils ont tissé des liens. – **5.** J'ai remarqué que certains jours, elle n'était pas d'humeur à se confier !

Bilan n° 4

Exercices pages 144 et 145

1 **1.** coupé – **2.** bien, mal – **3.** mine – **4.** retenir, contenir – **5.** créé, tissé – **6.** tenir – **7.** le cœur, la patate* – **8.** malade – **9.** tout un cinéma*, des illusions. – **10.** dehors, apparences

2 **1.** V – **2.** F – **3.** F – **4.** V – **5.** F – **6.** F – **7.** F – **8.** V – **9.** F – **10.** V

3 **1.** Je tombe de haut ! – **2.** Elle n'est pas au bout de ses peines. – **3.** Il nous a joué un sale* tour. – **4.** Je n'en mène pas large*. – **5.** Il ne faut pas se voiler la face – **6.** Ils se démènent* pour... – **7.** me tracasse. – **8.** se leurrer. – **9.** À quoi bon – **10.** Vous croyez au Père Noël.

4 **1.** bout, peines – **2.** vos désirs, réalités – **3.** crève* – **4.** détrompe – **5.** avons coupé – **6.** veux, fasse – **7.** de la dernière pluie – **8.** s'y prend – **9.** ferai, deux coups – 20. quatre chemins.

5 *(Réponses possibles)* **1.** ... c'est quelqu'un d'assez vulnérable. – **2.** Je ne suis pas près d'oublier ce voyage mouvementé ! – **3.** ... se donner tant de mal, si c'est pour récolter des critiques ? – **4.** ... à une vie plus saine. – **5.** ... allez-vous procéder pour mener cette enquête ? – **6.** ... à tout voir le verre à moitié vide. – **7.** ... que Michel a besoin de se reposer ! – **8.** ... à lui expliquer que ces études ne le mèneront nulle part ! – **9.** ... beaucoup plus intelligente qu'elle ne l'est en réalité. – **10.** ... de sortir la nuit.

6 *(Réponses possibles)* **1.** Je n'en reviens pas – **2.** Il/elle en a bavé*. – **3.** Je n'y arriverai jamais ! À quoi bon continuer ? – **4.** Il/elle a main de fer dans un gant de velours. – **5.** Il/elle a fait une croix sur/a tiré un trait sur cette période de sa vie. – **6.** Elle ne paye pas de mine, mais c'est quelqu'un de remarquable. – **7.** Ils sauvent les apparences/Ils donnent le change. – **8.** C'est un vrai goujat. – **9.** Il a mené ce projet tambour battant. – **10.** Elle a toujours le trac.

Unité 30 Nuancer, atténuer, préciser

Exercices page 147

1 **1.** ne serait-ce – **2.** au bas – **3.** en l'occurrence – **4.** la limite – **5.** la mesure – **6.** bien que mal.

2 *(Réponses possibles)* **1.** Ne critique pas trop Élodie, elle en a beaucoup sur ses épaules. – **2.** Ce que tu vis n'est vraiment pas facile. – **3.** Qu'as-tu pensé de la réaction de Bruno ? – **4.** Jusqu'où peut-on accepter que des jeunes nous répondent sur ce ton ? – **5.** On attend une centaine de personnes, n'est-ce pas ? – **6.** Vous êtes parvenus à finir votre travail à temps ? – **7.** Il aurait tout de même pu répondre à ton mail ! – **8.** J'ai trouvé Hugo assez tranchant, lors de notre dernière réunion.

3 *(Réponses possibles)* **1.** elle m'aurait reproché d'être trop perfectionniste ! – **2.** Dans la rue se sont retrouvés plusieurs dizaines de milliers de manifestants – **3.** je peux comprendre l'irritation de Violaine – **4.** c'est quelqu'un qui n'a jamais vraiment eu confiance en lui. – **5.** On peut trouver des excuses à son agressivité.

Exercices page 149

1 **1.** minutieux, tatillon – **2.** schématique, sommaire – **3.** détaille, spécifie – **4.** les détails – **5.** épargnes – **6.** vague, évasive

2 **1.** fignole* – **2.** va toujours chercher midi à quatorze heures – **3.** me raconte tout en long et en large/ne m'épargne aucun détail – **4.** est trop tatillon – **5.** circonstancié – **6.** dans ces eaux-là.

3 *(Réponses possibles)* **1.** Tu sais que j'ai dû retourner deux fois au marché pour acheter des carottes, des oignons et du persil ? – **2.** Je trouve que la couleur choisie pour le mur derrière les toilettes est un peu trop foncée. – **3.** Mathilde passe un temps fou à relire et corriger les documents qu'elle va envoyer. – **4.** Nous serons environ quarante ? – **5.** Je pense que ce sera fini d'ici quelques jours. – **6.** Maurice complique tout, je ne sais pas où il va chercher tout ça. – **7.** Ils n'ont toujours pas fini les travaux dans leur appartement ? Depuis le temps qu'ils y sont !

Unité 31 Expliquer, comprendre, ne pas comprendre

Exercices page 151

1 **1.** chercher à comprendre – **2.** (te/lui/vous/leur) rendre – **3.** plonge, perplexité – **4.** trouver/tu trouves/vous trouvez – **5.** regardent pas. – **6.** éclaircissements

2 **1.** Commet se fait-il qu'il ait réagi de cette manière ? – **2.** il ne faut pas chercher à comprendre. – **3.** Qu'est-ce qu'il a, à me suivre ? – **4.** s'explique – **5.** Comment ça se fait que tu sois arrivé – **6.** Ma vie privée ne vous regarde pas. – **7.** Je ne vois pas en quoi…

3 *(Réponses possibles)* **1.** Comment se fait-il que vous vous soyez absenté pendant deux semaines ? – **2.** Si je te demande cette information, c'est que j'en ai besoin pour compléter des sondages. – **3.** Qu'est-ce qu'elle a, à râler tout le temps ? – **4.** J'aimerais que vous me donniez quelques éclaircissements sur l'emploi du budget alloué pour la réunion. – **5.** Comment se fait-il que cette somme n'apparaisse pas dans ce tableau ?

4 *(Réponses possibles)* **1.** à leur rendre sur ce point-là. – **2.** ils n'aient pas été capables de mener à bien cette mission ? – **3.** geindre tout le temps ? – **4.** mon chef devrait me donner des conseils sur ce sujet. – **5.** sur les dernières décisions de la hiérarchie. – **6.** sur la gestion de son emploi du temps.

Exercices page 153

1 **1.** a remonté – **2.** reprendre, main – **3.** entré, détails – **4.** la dérive, les pendules – **5.** se noie, verre

2 **1.** ça a fait tilt* – **2.** pige* vite – **3.** reprendre la situation en main – **4.** est à mettre sur le compte des travaux – **5.** par acquit de conscience – **6.** à quoi nous en tenir.

3 *(Réponses possibles)* **1.** Tu imagines qu'on n'a même pas organisé un pot pour le départ d'Arielle ? – **2.** Vous confirmerez la date de la réunion à Fadela ? – **3.** Le vieux monsieur est dans tous ses états à l'idée prendre le train. – **4.** Cette étudiante est encore absente, pour la cinquième fois ! – **5.** Finalement, Martin a annulé sa participation au congrès. – **6.** Tu sais que c'est Thierry qui a été nommé au poste que convoitait Irène ?

Exercices page 155

1 **1.** sentions venir – **2.** besoin, un dessin – **3.** méconnaît – **4.** le pressentiment – **5.** plus loin, le bout, ton nez

2 **1.** le nez creux* – **2.** discernement/clairvoyance – **3.** ne voit pas plus loin que le bout de son nez* – **4.** anguille sous roche – **5.** J'ai l'intuition – **6.** ne méconnaît pas

3 *(Réponses possibles)* **1.** Isabelle a très vite senti que son fils lui cachait quelque chose. – **2.** Léon n'a même pas compris qu'il avait tort de refuser ce poste. – **3.** Henriette et Grégoire ont acheté ce petit tableau en se doutant bien qu'il prendrait de la valeur. – **4.** Vous savez que Guillaume et Doria sont en train de se séparer ? – **5.** Vous savez, ce n'est pas facile de s'occuper de trois adolescents en pleine rébellion ! – **6.** Regarde, cette petite porcelaine qui ne payait pas de mine est signée d'un grand artiste.

Unité 32 Réfléchir, argumenter

Exercices page 157

1 *(Réponses possibles)* **1.** ne pas avoir fait – **2.** tenir – **3.** penser/décider/faire – **4.** s'adresser – **5.** apporter – **6.** ne pas suivre

2 **1.** preniez – **2.** suis – **3.** n'ait pas tenu – **4.** parveniez/arriviez – **5.** déduisent – **6.** n'a pas fait

3 *(Réponses possibles)* **1.** je ne suis pas convaincu de la culpabilité de cet homme. – **2.** j'ai la conviction que nous sommes sur la bonne voie. – **3.** vous estimez que la stratégie est la bonne ? – **4.** ce projet ne tient pas la route. – **5.** ils ont décidé de s'expatrier. – **6.** nous devrions arriver à des résultats financiers honorables.

4 *(Réponses possibles)* **1.** Oui, après avoir tout bien pesé, voici la solution qui me semble la meilleure. – **2.** À ce stade de mes réflexions, je ne suis pas parvenu(e) à me faire une idée claire des enjeux. – **3.** En y réfléchissant bien, oui, j'en suis convaincu(e). – **4.** Non, pas encore, il faut y regarder à deux fois avant de nous lancer. – **5.** J'en arrive à la conclusion que l'équipe sera opérationnelle d'ici un mois.

Exercices page 159

1 **1.** s'inscrit, s'articule – **2.** le principe – **3.** Réflexion – **4.** soulève – **5.** me pose – **6.** a prouvé – **7.** offre, réflexion

2 *(Réponses possibles)* **1.** nous sommes d'accord de participer à ce colloque. – **2.** dans le cadre d'une recherche sociologique. – **3.** le bien-fondé de cette étude. – **4.** nous nous demandons s'il ne vaudrait pas mieux remettre la réunion. – **5.** ils ont pris la décision de lancer le chantier de construction du tramway.

3 **1.** Cette publication porte sur l'agriculture. – **2.** Elle a essayé de me prouver par a + b que... – **3.** Cet ouvrage offre matière à réflexion. – **4.** Elle s'est livrée à un plaidoyer en faveur de cette loi. – **5.** Nous avons pesé le pour et le contre. – **6.** Cette décision est mûrement réfléchie. – **7.** Hélène s'interroge sur le bien-fondé de cette décision.

Unité 33 Établir des comparaisons

Exercices page 161

1 **1.** V – **2.** F – **3.** F – **4.** F – **5.** F – **6.** V

2 **1.** à l'instar – **2.** établit – **3.** relèvent – **4.** rappelle – **5.** divergences – **6.** revient

3 **1.** tout est à l'avenant. – **2.** établir un parallèle, l'un comme l'autre – **3.** un roman digne de ce nom. – **4.** de rêve – **5.** me rappelle

4 *(Réponses possibles)* **1.** Tu ne trouves pas qu'on dirait un tableau impressionniste ? – **2.** Cette pièce me rappelle celle que nous avions vue l'année dernière. – **3.** Est-ce qu'on passe par ici ou par là ? – **4.** Michel est devenu responsable du projet, n'est-ce pas ?

Exercices page 163

1 **1.** est analogue/s'apparente – **2.** au même titre – **3.** Conformément – **4.** suit – **5.** une reproduction – **6.** comme si – **7.** acabit

2 **1.** est un sosie de Julien – **2.** s'apparente à – **3.** a emprunté – **4.** une contrefaçon – **5.** Il en va de même pour – **6.** pousse un peu la caricature – **7.** une pâle copie

3 *(Réponses possibles)* **1.** Pensez-vous qu'il s'agisse d'une vraie robe de haute couture ? – **2.** Regarde comme ce portrait ressemble à notre grand-père ! – **3.** Tu possèdes un original de Chagall ? – **4.** J'admire la façon dont elle imite le professeur. – **5.** Tu penses que le frère aîné est moins agressif que son cadet ?

Exercices page 165

1 **1.** rapport – **2.** l'écart – **3.** distinguer – **4.** les torchons, les serviettes – **5.** rien, voir

2 **1.** Il n'y a pas de commune mesure entre ce petit roman et un chef-d'œuvre de Tolstoï. – **2.** Ces deux meubles sont analogues, à peu de choses près. – **3.** se contredit tout le temps – **4.** C'est le jour et la nuit – **5.** saisissant

3 *(Réponses possibles)* **1.** Tu as vu ? Le député n'a même pas payé d'amende alors qu'il était en excès de vitesse sur l'autoroute ! – **2.** Je ne vois pas vraiment la différence entre cette confiture et celle que fait ta mère. – **3.** Ce manteau ressemble énormément à l'autre, n'est-ce pas ? – **4.** Je trouve que ces deux artistes sont de même envergure. – **5.** Je ne comprends pas pourquoi on n'a pas invité les secrétaires à cette réunion.

Unité 34 Incrédulité et certitudes

Exercices page 167

1 **1.** au dépourvu – **2.** a craché le morceau* – **3.** le pot aux roses* – **4.** d'une bombe – **5.** son jeu – **6.** sujette

2 **1.** Pas que je sache. – **2.** Quoi* ? Tu plaisantes ! – **3.** Mon œil* ! – **4.** contre toute évidence – **5.** louche

3 *(Réponses possibles)* **1.** Il va falloir que vous renonciez à vos vacances pour venir travailler. – **2.** Tu sais que j'ai été invité(e) au Festival de Cannes ? – **3.** Justine a expliqué que si elle n'est pas venue au rendez-vous, c'était à cause d'un problème de santé. – **4.** J'ai lu que l'on va détruire ce magnifique bâtiment du XVIIIe siècle. – **5.** D'un côté, certains sont surmenés et tombent de fatigue à force de travailler ; de l'autre, beaucoup de gens sont en recherche d'emploi et restent au chômage. – **6.** Savez-vous que le PDG a été convoqué par la police judiciaire ?

Exercices page 169

1 **1.** coule – **2.** foi – **3.** tombe – **4.** laisse, cloche – **5.** semble, blanc

2 **1.** dur comme fer – **2.** cloche – **3.** n'en démord pas. – **4.** Cela tombe sous le sens. – **5.** Tout laisse à penser que/Cela coule de source que…

3 *(Réponses possibles)* **1.** Il faudra tout d'abord faire un budget prévisionnel. – **2.** Certains pensent que les pressentiments n'existent pas. – **3.** Il paraît que Serge serait à l'origine de cette dispute. – **4.** Elles ont quelques excuses de ne pas avoir fini le travail à temps. – **5.** Tu crois que Josselin pourrait revenir sur sa décision ?

4 *(Réponses possibles)* **1.** la réaction de cette femme est louche. – **2.** les étudiants devront rendre leur mémoire avant la fin du mois. – **3.** personne n'a contesté le bien-fondé de cette étude. – **4.** l'acteur avait donné des signes de dépression. – **5.** convoquer les différents chefs de service pour les convaincre de se parler.

Unité 35 Causes, excuses et conséquences

Exercices page 171

1 **1.** F – **2.** F – **3.** V – **4.** V – **5.** V – **6.** F

2 **1.** raison – **2.** dos* – **3.** décharge – **4.** tenu – **5.** déclencheur – **6.** imputer

3 *(Réponses possibles)* **1.** En raison de la crise économique, nous serons obligés de réduire nos effectifs. – **2.** Bastien a profité d'un rendez-vous à Aix-en-Provence pour y rester quelques jours. – **3.** J'aimerais bien comprendre le pourquoi et le comment de cette sombre histoire de détournement de fonds publics. – **4.** Il faut se battre, résister à la pression, ne pas capituler ! – **5.** La crainte du chômage n'est-elle pas pour quelque chose dans l'absence de réaction des salariés ?

Exercices page 173

1 **1.** Du coup*/Moyennant quoi* – **2.** a donné lieu – **3.** prête – **4.** ont contribué/ont abouti – **5.** séquelles – **6.** fil, aiguille – **7.** se sont soldées

2 **1.** Du coup* – **2.** répercussions – **3.** De fil en aiguille – **4.** Comme quoi* – **5.** On en est arrivé à – **6.** porter ses fruits – **7.** un tollé

3 *(Réponses possibles)* **1.** À cause de la grève, aucun métro ne circulait. – **2.** Elle se remet assez lentement de sa maladie, n'est-ce pas ? – **3.** Comme l'entreprise a fait faillite, plusieurs sous-traitants connaissent de grosses difficultés en ce moment. – **4.** Tu sais que j'ai enfin reçu des nouvelles de Nicolas ? – **5.** Chaque fois que ce garçon devient agressif, les autres l'insultent, ce qui le rend encore plus agressif.

4 *(Réponses possibles)* **1.** des conséquences dans l'organisation du travail. – **2.** ... économiques seront perceptibles d'ici quelques mois. – **3.** à la signature d'un traité. – **4.** de se lancer dans un projet sans s'y être bien préparé. – **5.** ils en sont arrivés à évoquer la place de la femme dans la société.

Unité 36 Conditions, hypothèses, probabilités

Exercices page 175

1 *(Réponses possibles)* **1.** je ne serais pas rentré(e) avant toi. – **2.** auraient renoncé à leur voyage – **3.** qu'ils seraient disponibles pour prendre l'apéritif avec nous – **4.** qu'elle puisse se libérer ce jour-là – **5.** les cartons ne sont pas trop lourds à porter – **6.** partir dans une belle région.

2 **1.** quitte, autant – **2.** Au pire – **3.** pour un peu – **4.** la galère* – **5.** grand départ – **6.** sois bloqué(e)

3 1. Pour un peu, elle se serait perdue – **2.** pour peu qu'elle soit de mauvaise humeur – **3.** au cas où – **4.** il n'est pas exclu – **5.** À tout prendre – **6.** À tout hasard

4 *(Réponses possibles)* **1.** Dès fois* qu'il n'aurait pas compris mes indications, je vais lui renvoyer un message – **2.** Du moment qu'ils sont occupés, les enfants me laissent tranquille. – **3.** À tout hasard, ils apporteront un sac de couchage. – **4.** Il n'est pas exclu que nous nous rendions en Crète. – **5.** Quitte à apprendre l'allemand, autant le faire à Berlin. – **6.** Au pire, nous pourrons toujours dormir en chemin.

Exercices page 177

1 *(Réponses possibles)* **1.** il se mette tout de suite au travail. – **2.** à moins d'en être obligés. – **3.** nous puissions convaincre les clients, je ne pense pas que nous signions un contrat aujourd'hui. – **4.** Encore faudrait-il que l'équipe se mette tout de suite au travail ! – **5.** À défaut de vrai repas, nous emporterons un sandwich. – **6.** je ne vois pas comment nous pourrions tenir les délais ! – **7.** Suivant ce que le médecin dira, nous ferons ou non d'autres analyses de sang.

2 **1.** bien-fondé – **2.** manœuvre – **3.** apportera – **4.** pistes – **5.** teniez – **6.** aviserons

3 **1.** Pour autant que je sache – **2.** Ce n'est pas gagné ! / Rien n'est moins sûr ! – **3.** À moins d'un miracle – **4.** j'aviserai – **5.** si tant est qu'il soit ouvert. – **6.** Ce n'est pas gagné ! / Rien n'est moins sûr !

4 *(Réponses possibles)* **1.** est assez limitée, hélas. – **2.** de notre état d'esprit. – **3.** nous pourrions convoquer le salarié. – **4.** avec nous sur les grandes lignes du projet ? – **5.** pouvez-vous nous soumettre ?

Bilan n° 5

Exercices pages 178 et 179

1 **1.** sa clairvoyance, son discernement – **2.** le compte – **3.** s'est soldée par – **4.** conclus, déduis – **5.** a – **6.** fait* – **7.** parentés, divergences – **8.** démarque, distingue – **9.** limite – **10.** les séquelles, le contrecoup

2 **1.** à l'âne – **2.** les bretelles* – **3.** sous roche – **4.** deux mesures – **5.** le bout de ton nez – **6.** torchons et les serviettes. – **7.** a mis le feu aux poudres – **8.** dans un verre d'eau – **9.** remettre les pendules à l'heure – **10.** à quatorze heures.

3 **1.** F – **2.** F – **3.** F – **4.** V – **5.** V – **6.** F – **7.** V – **8.** V – **9.** F – **10.** F

4 **1.** des séquelles – **2.** un tantinet* – **3.** s'apparente à – **4.** C'est le jour et la nuit/ça n'a rien à voir – **5.** Comment se fait-il qu'elle ne se soit pas révoltée ? – **6.** à tout hasard. – **7.** Nous avons dû remettre les pendules à l'heure. – **8.** cela reviendra au même. – **9.** pige* au quart de tour – **10.** À la réflexion/Réflexion faite

5 *(Réponses possibles)* **1.** Il est sujet à caution. – **2.** Cela ne vous regarde pas ! – **3.** C'est tout à fait lui ! – **4.** Il me faut des éclaircissements. – **5.** C'est l'effet boule de neige/domino, c'est un cercle vicieux. – **6.** Comme toujours, il y a deux poids deux mesures ! – **7.** Il y a anguille sous roche. – **8.** On ne me la fait* pas ! – **9.** J'y crois dur comme fer, je n'en démords pas. – **10.** Comment se fait-il qu'il m'ait répondu sur ce ton ?

6 **1.** faire, choses – **2.** bon – **3.** long – **4.** prendre – **5.** sommes arrivés – **6.** un peu – **7.** porte – **8.** entrent, compte – **9.** mettre, compte – **10.** aiguille

Unité 37 Risques, dangers, nécessités

Exercices page 181

1 **1.** F – **2.** V – **3.** F – **4.** V – **5.** F – **6.** F – **7.** V

2 **1.** la croix et la bannière – **2.** du fil à retordre – **3.** ... il y a laissé des plumes. – **4.** Je vais tâter le terrain. – **5.** se mettre en travers du chemin. – **6.** Le jeu en vaut la chandelle. – **7.** y aller sur la pointe des pieds.

Exercices page 183

1 **1.** F – **2.** V – **3.** V – **4.** F – **5.** V

2 **1.** leurs peines – **2.** gré, majeure – **3.** Coûte que coûte – **4.** toute force – **5.** l'économie – **6.** ont infligé – **7.** est tenu

3 *(Réponses possibles)* **1.** Elle a vendu la peau de l'ours avant de l'avoir tué ! – **2.** Nous ne sommes pas au bout de nos peines. – **3.** On doit en passer par là/On n'y coupe* pas. – **4.** De gré ou de force, il faudra bien que tu travailles... – **5.** On est tenu au secret professionnel – **6.** Les obstacles sont insurmontables. – **7.** C'est un cas de force majeure.

Exercices page 185

1 Un peu plus et Octave allait oublier l'anniversaire. – **2.** Un centimètre de plus et l'accident se produisait. – **3.** Quelques secondes de plus et Clémence renversait... – **4.** Un peu plus, Amélie se trouvait...

2 **1.** a décroché* – **2.** a fait faillite – **3.** renflouer – **4.** a subi un contrôle fiscal

3 **1.** a frôlé, a eu – **2.** l'as échappé belle – **3.** d'un mauvais pas – **4.** encombre – **5.** tremble

4 *(Réponses possibles)* **1.** il n'a rien eu – **2.** elle en a été quitte pour la peur. – **3.** une fière chandelle – **4.** a sorti sa petite sœur d'un mauvais pas. – **5.** il a sauvé les meubles – **6.** y passer*, au travers.

Unité 38 Action et inaction

Exercices page 187

1 **1.** d'arrache-pied – **2.** déploie – **3.** me suis rabattu(e)* – **4.** s'est résignée – **5.** s'investit

2 **1.** Il est au pied du mur. – **2.** Il ne peut pas être au four et au moulin ! – **3.** Elle s'est mis en tête de partir, c'est sa nouvelle lubie. – **4.** Il a sauté le pas. – **5.** La mairie va mettre le paquet* sur la culture.

3 *(Réponses possibles)* **1.** Il faudrait que vous preniez également en charge la formation du stagiaire. – **2.** Ta sœur a décidé de devenir comédienne ? – **3.** Le chantier doit être terminé à la fin de l'année, n'est-ce pas ? – **4.** Cette fois-ci, mon patron m'a demandé de choisir entre les deux postes. – **5.** J'hésite encore à accepter ce travail, je ne suis pas sûr(e) d'être à la hauteur. – **6.** Je sais qu'il y a encore quelques coquilles* dans ce texte, mais j'ai fait tout ce que je pouvais pour le rendre à l'heure.

Exercices page 189

1 **1.** tenir – **2.** persiste – **3.** commentaire, en tête – **4.** structurer – **5.** rédiger

2 **1.** il ne s'est pas foulé* – **2.** Je m'en passerais ! – **3.** Il a un poil dans la main*/ Quel feignant* ! – **4.** Il a d'autres chats à fouetter*. – **5.** Ils ont fait une croix dessus. – **6.** Il traîne des pieds*. – **7.** Elle ne s'est pas cassé la tête*.

3 *(Réponses possibles)* **1.** Est-ce que tu pourrais t'occuper de la fuite d'eau ? – **2.** Finalement, je ne suis pas certain(e) que ton aide soit la bienvenue. – **3.** Mon chéri, range ta chambre, on ne peut même plus ouvrir la porte du placard ! – **4.** Ton dessert est très simple mais très bon ! – **5.** Je me demande si Brigitte acceptera de faire la randonnée avec nous. – **6.** Je crois qu'il va falloir aller au magasin de bricolage pour acheter des outils.

Unité 39 Réussites et échecs

Exercices page 191

1 **1.** l'unanimité, un malheur* – **2.** à bout – **3.** une prouesse, un tour de force – **4.** notre coup*, du premier coup – **5.** gain de cause

2 1. a bataillé, mener – 2. a fait – 3. viendrons – 4. percer – 5. bonne voie

3 1. l'a emporté – 2. batailler dur – 3. a réalisé une véritable prouesse/un tour de force – 4. à la hauteur – 5. Cette pièce de théâtre a fait l'unanimité. – 6. sommes venus à bout de toutes les difficultés, ce n'était pas gagné.

4 *(Réponses possibles)* 1. le spectacle de ce groupe de rock – 2. pour convaincre mes collaborateurs de modifier les procédures de travail. – 3. La réaction très digne du ministre – 4. Le chirurgien – 5. Ce n'est pas encore gagné.

Exercices page 193

1 1. F – 2. V – 3. F – 4. F – 5. F

2 1. d'échec, échec – 2. ficelé* – 3. iras, mur – 4. un revers, une déconvenue – 5. suis cassé

3 *(Réponses possibles)* 1. Tania s'obstine à faire des maths alors qu'elle n'en a pas les capacités. – 2. Finalement, vous ne partez pas en Argentine ? – 3. Pourquoi est-ce que ta fille n'a pas eu son examen ? – 4. Apparemment, il y a un espoir de pouvoir partir demain matin, mais ce n'est pas sûr. – 5. Je n'ai pas arrêté d'avoir des problèmes avec cette voiture. – 6. Franchement, je ne pense pas que cette loi soit votée, il y a trop de tension et d'hostilité. – 7. Finalement, tout le projet a été remis à l'année prochaine.

Unité 40 Connaissances et compétences

Exercices page 195

1 1. ira, plusieurs cordes, arc – 2. le B.A.BA – 3. atout – 4. approfondissiez – 5. rudiments – 6. un rayon*

2 1. a plusieurs cordes à son arc/est polyvalent – 2. en connaît un rayon* – 3. La force – 4. est doté d'un grand sens de la gestion d'équipe. – 5. est un puits de science*/est incollable* – 6. les rudiments/le B.A.BA – 7. a un bon bagage universitaire

3 *(Réponses possibles)* 1. Joëlle m'a demandé la date de naissance de trois peintres hollandais. Heureusement que je les connaissais bien ! – 2. Mathieu a su répondre à toutes les questions sur tous les sujets. – 3. Je peux aussi bien jouer de la flûte que dessiner et danser. – 4. Vous connaissez un peu le mécénat d'entreprise ? – 5. Vous êtes bon(ne) en chimie ?

Exercices page 197

1 1. F – 2. V – 3. F – 4. F – 5. V

2 1. vagues – 2. le flou – 3. l'incapacité – 4. le vague – 5. la hauteur

3 1. Je n'en ai pas la moindre idée/Mystère ! – 2. a séché* – 3. est profane en – 4. a été incapable/a été dans l'incapacité – 5. à son insu

4 *(Réponses possibles)* 1. Tu sais où est né Rubens ? – 2. Tu te sentirais capable d'organiser une fête pour l'ensemble de la famille, c'est-à-dire 150 personnes ? – 3. Vous connaissez bien l'art médiéval ? – 4. Ah bon ? Vous ne saviez pas que Cyrano de Bergerac a vraiment existé ? – 5. Tu sais une fable de La Fontaine en entier ?

Unité 41 L'emploi

Exercices page 199

1 1. avez posé – 2. chômage, décrocher* – 3. chargée – 4. cadre – 5. CV, expérience

2 1. faire un stage rémunéré – 2. piston* – 3. de prospecter – 4. du boulot* – 5. fait de l'intérim – 6. a décroché* un entretien d'embauche – 7. gagne sa vie

3 *(Réponses possibles)* 1. Non, comme je suis au chômage depuis plusieurs semaines, je cherche même loin de chez moi. – 2. Oui, j'ai déjà fait deux stages rémunérés. – 3. Mon atout principal, c'est d'être très organisé(e) et réactif (-ive). De plus, j'ai une grande capacité de travail. – 4. J'étais responsable de la logistique. – 5. Non, en fait, j'ai répondu à une annonce.

Exercices page 201

1 1. réseau – 2. plan social/un dégraissage* – 3. d'essai, embauché – 4. qualifications – 5. dévorée, arriviste, sa carrière – 6. perspectives

2 1. une nouvelle recrue – 2. fera une belle carrière – 3. des atouts – 4. est en poste, ses perspectives de carrière – 5. est un jeune loup aux dents longues*/un arriviste – 6. Cette boîte*, subir un plan social/un dégraissage*

3 *(Réponses possibles)* 1. L'entreprise risque de licencier du personnel ? – 2. Apparemment, Élodie a réussi à obtenir le poste de manager, alors qu'elle n'est dans la boîte* que depuis un an ! – 3. Vous avez décroché* un emploi ? – 4. Hugo a enfin été embauché ?

Unité 42 L'argent

Exercices page 203

1 1. lésine – 2. fois rien, bonne affaire – 3. en avons eu – 4. brade – 5. bouchée – 6. les moyens

2 1. n'est pas donné – 2. pour trois fois rien/pour une bouchée de pain/à un prix défiant toute concurrence – 3. mettre en vente – 4. les moyens de – 5. abordable/modique – 6. a acquis/réhabiliter

3 *(Réponses possibles)* 1. Tu as magnifiquement rénové ton appartement ! – 2. J'ai payé ce meuble 1 500 euros. – 3. Vous voulez faire une croisière avec nous ? – 4. Cette commode est très jolie. Tu l'as trouvée au marché aux puces ? – 5. J'aime bien aller dans ce restaurant, qui n'est pas très cher et vraiment bon. – 6. J'ai acheté ces livres de poche pour trois fois rien.

Exercices page 205

1 1. F – 2. V – 3. V – 4. F – 5. F

2 1. testament, lègue – 2. patrimoine, trésorerie – 3. gagnes – 4. un fric* – 5. gérer

3 1. radine – 2. a une bonne situation – 3. claque* tout son argent/est panier percé* – 4. a hérité de la maison de ses parents. – 5. a un fric* fou/roule sur l'or*

4 *(Réponses possibles)* 1. Tu te rends compte qu'ils ne veulent même pas chauffer leur maison, alors qu'ils roulent sur l'or* ? – 2. Je ne sais pas si Benoît gagne correctement sa vie. – 3. Comment ça se fait que cette jeune femme puisse s'acheter une si grande maison ? – 4. C'est bien que tes parents aient enfin réalisé leur rêve et aient acheté ce manoir en Normandie. – 5. Je me demande comment Quentin fait son compte pour claquer* son argent.

Exercices page 207

1 1. F – 2. F – 3. V – 4. V – 5. V

2 1. joindre, bouts – 2. rentable, rapporte – 3. la manche* – 4. pension – 5. le Pérou*

3 1. est criblé de dettes – 2. rapporte – 3. misérable – 4. un rond* – 5. Ronan a du mal à joindre les deux bouts/Il tire le diable par la queue*.

4 *(Réponses possibles)* 1. Grégoire est très endetté/est criblé de dettes, n'est-ce pas ? – 2. Anaïs a trouvé un emploi de secrétaire, elle aura un petit salaire. – 3. Tu penses qu'ils pourront s'acheter une nouvelle voiture ? – 4. L'entreprise a décidé de limiter le nombre de stylos mis à la disposition des salariés ! 5. Tu as donc décidé de subvenir à tes besoins ?

Bilan n° 6

Exercices pages 208 et 209

1 1. notions, rudiments – 2. en tête – 3. trois fois rien, une bouchée de pain – 4. chemin – 5. mise, parie – 6. parer – 7. bannière –

8. ont eu chaud*, l'ont échappé belle – 9. tremble encore, est quitte pour la peur – 10. sou*, rond*.

2 1. F – 2. V – 3. F – 4. F – 5. V – 6. F – 7. F – 8. V – 9. V – 10. V

3 1. et au moulin – 2. de la tête – 3. sur l'or – 4. la chandelle – 5. à retordre – 6. par les fenêtres – 7. à fouetter – 8. la bannière – 9. par la queue – 10. la peau de l'ours avant de l'avoir tué.

4 *(Réponses possibles)* 1. se sont plantés* – 2. d'arrache-pied – 3. du piston* – 4. Ils ont un poil dans la main* / Qu'ils sont feignants* ! – 5. est tombé à l'eau* – 6. n'en feras pas l'économie – 7. l'a emporté. – 8. plusieurs cordes à son arc – 9. il y a eu plus de peur que de mal – 10. en connaît un rayon*/est incollable*

5 *(Réponses possibles)* 1. C'est le B.A.BA – 2. Je ne peux pas être au four et au moulin – 3. Je fais des économies de bouts de chandelle. – 4. Il n'a pas été à la hauteur de sa tâche. – 5. Il ne s'est pas foulé* / il ne s'est pas cassé la tête*. – 6. Il a plusieurs cordes à son arc. – 7. Il/elle fera son chemin/il/elle ira loin. – 8. il a fait un malheur* ! – 9. Ils tirent le diable par la queue/ils ont du mal à joindre les deux bouts/les fins de mois sont difficiles. – 10. Je me suis planté(e)*.

6 1. mener – 2. au bout – 3. gré – 4. courons – 5. yeux, tête* – 6. fière – 7. subvenir – 8. joindre, bouts – 9. poser – 10. économies, chandelle

Unité 43 Le temps qui passe

Exercices page 211

1 1. de justesse – 2. rattraper – 3. vois, passer – 4. en avez – 5. parer, pressé

2 1. sur les chapeaux de roue*, se mettre – 2. J'en aurai pour deux heures – 3. courir après les minutes – 4. gérer son emploi du temps – 5. contretemps – 6. à la va-vite

3 *(Réponses possibles)* 1. Ils sont partis – 2. au plus pressé dans mon travail. – 3. l'essentiel de son temps à l'aménagement de sa maison. – 4. cinq minutes ! – 5. en retard.

4 *(Réponses possibles)* 1. Ça suffit pour aujourd'hui, je finirai ce travail demain matin. – 2. Quoi ? Nous sommes déjà le 28 septembre ? – 3. Je me dépêche, vu que j'en ai pour au moins une heure avant d'arriver. – 4. C'est pénible de tout faire à la va-vite, sans prendre le temps de fignoler* le travail. – 5. J'ai réussi à préparer le dîner et mettre la table en une demi-heure.

Exercices page 213

1 1. mène de front – 2. coulera, ponts – 3. Rebelote* – 4. au fur et à mesure – 5. à longueur

2 1. à tout bout de champ – 2. D'emblée – 3. pour un oui ou pour un non – 4. après coup – 5. à longueur de journée

3 *(Réponses possibles)* **1.** plusieurs tâches d'une certaine complexité. – **2.** tous mes livres dans cette pièce. – **3.** Cet étudiant me pose des questions incongrues – **4.** nous aurons eu le temps de mener à bien ce projet. – **5.** tu peux me rapporter du pain ?

4 *(Réponses possibles)* **1.** Et c'est reparti*, il faut que je retourne encore une fois à Bruxelles pour une réunion. – **2.** J'en ai marre* du bruit des travaux, et puis j'en ai assez de toujours m'occuper de tout ! – **3.** Tes parents te téléphonent souvent ? – **4.** Quand tu seras vieux, comment est-ce que tu te débrouilleras ? – **6.** Vous rangez régulièrement les documents que vous recevez ?

Unité 44 Mémoire, oubli, regrets

Exercices page 215

1 **1.** F – **2.** F – **3.** V – **4.** F – **5.** V – **6.** V

2 **1.** Ils le leur expliquent. – **2.** je ne vous les ai pas envoyés – **3.** je te la passe – **4.** elle la leur a prêtée – **4.** je la lui demanderai – **5.** tu ne me les as pas rendues.

3 **1.** sur le bout des doigts – **2.** une mémoire d'éléphant – **3.** retenir/ se mettre dans le crâne* – **4.** ça entre par une oreille et ça sort par l'autre – **5.** lui rafraîchir la mémoire – **6.** il a la tête comme une passoire*.

4 *(Réponses possibles)* **1.** J'ai le nom de cette ville – **2.** son texte – **3.** Le nom de ce compositeur – **4.** Le nom du village – **5.** L'heure de la réunion – **6.** nous organisions de grandes fêtes dans le jardin.

Exercices page 217

1 *(Réponses possibles)* **1.** J'aurais dû noter la date dans mon agenda ! – **2.** Nous aurions dû nous organiser autrement et partir la veille ou le lendemain, ça aurait été moins pénible. – **3.** Il aurait fallu qu'elle prenne le temps de réfléchir à ce qui était faisable ou non. – **4.** Il aurait été plus sûr de réserver. – **5.** Vous auriez pu me prévenir de votre arrivée ! Cela m'aurait permis de préparer un bon dîner. – **6.** Il aurait tout de même pu relire son texte avant de me le donner. – **7.** J'aurais mieux fait de bien me renseigner avant de l'accepter !

2 **1.** il s'en mord les doigts* – **2.** Je n'aurais jamais dû – **3.** a fait amende honorable – **4.** Il est inutile de se lamenter ! – **5.** On ne refait pas l'histoire !

3 *(Réponses possibles)* **1.** de ne jamais être allé(e) sur cette île grecque. – **2.** lui parler sur ce ton. – **3.** de ne pas les inviter à la fête de Chloé. – **4.** je leur ai répondu sur un ton trop vif et je les ai blessés. – **5.** J'ai accepté de recevoir le fils de ces amis pendant deux semaines chez moi. – **6.** de m'être levé(e) tôt pour voir ce magnifique lever de soleil. – **7.** je m'y prenne beaucoup plus tôt pour ne pas me mettre en retard.

Exercices page 219

1 **1.** une dent* – **2.** rancune, de rien n'était – **3.** rouvert, vieilles – **4.** l'éponge* – **5.** tourner, passer – **6.** me rappelle/réveille

2 **1.** en veut à mort à – **2.** Il éprouve de la rancœur, car il n'a pas obtenu cette promotion à laquelle il pensait avoir droit. – **3.** a réveillé de très mauvais souvenirs/a rouvert de vieilles blessures – **4.** ressasse/remâche* – **5.** Nous allons tourner la page/passer l'éponge*.

3 *(Réponses possibles)* **1.** Tu penses encore à ce conflit et à la réaction de ta sœur ? – **2.** Je n'oublierai jamais la manière dont il m'a laissé(e) tomber, à l'époque. – **3.** Le ton sur lequel il m'a répondu me hante, je ne suis pas près de l'oublier. – **4.** Je revis constamment cette situation, elle me hante.

4 *(Réponses possibles)* **1.** ces événements qui nous ont tant marqués. – **2.** constamment les paroles blessantes qu'elle a entendues. – **3.** La dispute avec ses cousins – **4.** L'erreur que j'ai commise – **5.** Le refus de son chef

Unité 45 Hasards, fatalisme et opportunités

Exercices page 221

1 **1.** mettre, chances – **2.** prend, parti – **3.** est tombé, nommé – **4.** tombe* – **5.** fortuite – **6.** grand des hasards. – **7.** concours

2 **1.** à point nommé – **2.** mettre toutes les chances de mon côté – **3.** en prend son parti/est philosophe – **4.** fortuitement/par hasard – **5.** Selon toute probabilité – **6.** Il se trouve que

3 *(Réponses possibles)* **1.** Je suis désolé(e) pour vous, vous n'avez pas de chance ! – **2.** Comment se fait-il que vous ayez déménagé dans ce quartier ? – **3.** Vous devriez faire tout ce que vous pouvez pour améliorer la situation ! – **4.** Apparemment, Sami ne veut pas venir au dîner si Grégoire est dans les parages. – **5.** Je ne te dérange pas ? – **6.** C'est donc grâce à cette grève de transport, paradoxalement, que vous vous êtes connus ?

Exercices page 223

1 **1.** touche du bois – **2.** contretemps – **3.** porte-bonheur – **4.** poisse*/ tuile* – **5.** hasard – **6.** hasard – **7.** superstitieuse

2 **1.** malchance/poisse*/tuile*/déveine* – **2.** Il fallait s'y attendre. – **3.** jouent de malchance – **4.** est née sous une bonne étoile – **5.** C'est la loi des séries. – **6.** rêver

3 *(Réponses possibles)* **1.** Ma voiture est tombée en panne ! – **2.** On annonce une grève de train pour demain matin. – **3.** À cause de la neige, le match est annulé. – **4.** Espérons qu'ils se réconcilient enfin. – **5.** Vous vous êtes déjà cassé la jambe en faisant du ski ? – **6.** Regarde ce bouchon, l'autoroute est bloquée à perte de vue. – **7.** Et si on prenait les petites routes au lieu de rester bloqués sur l'autoroute ?

Exercices page 225

1 **1.** prête – **2.** échéant – **3.** fine bouche – **4.** perche*, tend – **5.** êtes

2 **1.** n'était pas opportune/justifiée – **2.** sauté* sur – **3.** incongrue – **4.** ne sont pas propices – **5.**battre le fer pendant qu'il est chaud.

3 *(Réponses possibles)* **1.** d'entamer des négociations à l'heure actuelle. – **2.** de renouveler ma confiance au ministre. – **3.** le fer pendant qu'il est chaud. – **4.** l'occasion et a demandé une augmentation à son chef. – **5.** de rester prudent sur ce sujet hautement sensible.

4 *(Réponses possibles)* **1.** Vous envisageriez de vivre à l'étranger ? – **2.** Pensez-vous possible d'aborder le sujet en réunion ? – **3.** Les circonstances sont-elles propices à une collaboration entre les deux entreprises ? – **4.** À mon avis, il ne faut pas laisser passer cette occasion. – **5.** Visiblement, les deux ne parviennent pas à trouver un accord économique.

Unité 46 Effets de mode

Exercices page 227

1 **1.** F – **2.** F – **3.** V – **4.** V – **5.** V

2 **1.** l'air – **2.** ruent – **3.** se démode – **4.** remises – **5.** ses lauriers – **6.** vieillotte

3 **1.** un engouement – **2.** très tendance* – **3.** créateur de mode – **4.** se démode vite – **5.** le chic parisien

4 *(Réponses possibles)* **1.** J'ai l'impression que tous les jeunes veulent porter ce genre de pantalon. – **2.** Ce genre de vêtement existe toujours ? – **3.** Il me semble que ce tissu est à la mode. – **4.** Tu mettrais un manteau de cette couleur ? – **5.** Vous portez facilement une chemise blanche ?

Exercices page 229

1 **1.** obsolète – **2.** n'aient plus cours – **3.** son temps – **4.** revient – **5.** vieux jeu

2 **1.** vieux comme Hérode – **2.** ne sont plus dans le coup* – **3.** est désuète – **4.** est vieillotte – **5.** est passé de mode.

3 *(Réponses possibles pour la France)* **1.** Le carnaval, qui était très vivant et qui est progressivement remplacé par le « Halloween » américain. – **2.** La machine à écrire, remplacée par l'ordinateur. – **3.** « C'est épatant ! », expression que l'on entendait jusque dans les années 1970, est remplacée en ce moment par « c'est cool/ super ! ». – **4.** Le jupon, que l'on met sous une robe. – **5.** Des torchons en pur lin, qui me viennent de mon arrière-grand-mère !

4 *(Réponse possible)* Oh là là, j'ai l'impression d'être vieux jeu ! Ces objets me sont très familiers, ce sont ceux dont je me servais à l'école. Alors que je portais un cartable marron, les élèves d'aujourd'hui ont des sacs à dos de toutes les couleurs. Cela semble désuet de voir un porte-plume ou un encrier, mais on continue à écrire avec un stylo à plume. En fait, c'est surtout le style de la publicité qui est désuet, car les enfants continuent à se servir de ciseaux, de compas et de peinture. Les professeurs écrivent toujours au tableau, mais il est parfois différent. Évidemment, cela semble aussi préhistorique de ne pas avoir d'ordinateur, mais c'était comme ça dans ma jeunesse...

Unité 47 Perspectives d'avenir

Exercices page 231

1 **1.** V – **2.** F – **3.** V – **4.** F – **5.** V

2 **1.** le courant – **2.** entrefaites – **3.** échéance – **4.** la foulée – **5.** à peine – **6.** s'apprête

3 **1.** Vivement dimanche – **2.** sous huitaine – **3.** ne va pas tarder à – **4.** sont sur le point de s'en aller – **5.** en temps utile

4 *(Réponses possibles)* **1.** Quand les résultats de l'enquête seront-ils publiés ? – **2.** Pensez-vous que l'entreprise sera amenée à licencier du personnel ? – **3.** Avez-vous l'intention d'aller à Bruxelles, après votre réunion à Lille ? – **4.** Je suis épuisé(e), j'attends la fin de la semaine avec impatience. – **5.** Quand recevrons-nous les livres que nous avons commandés ?

Exercices page 233

1 **1.** passera, postérité – **2.** ouvre, voie – **3.** s'inscrit, lignée – **4.** tarde – **5.** inhérentes

2 **1.** passer le flambeau – **2.** sont de bon augure – **3.** Il lui tarde – **4.** laisse présager – **5.** ils revendiquent l'héritage/ils s'inscrivent dans la lignée – **6.** Advienne que pourra.

3 **1.** qu'elle prenne la direction de l'équipe. – **2.** que la situation va s'aggraver. – **3.** dans la lignée de l'existentialisme – **4.** Ce petit livre d'une grande richesse – **5.** de la suite des événements.

4 *(Réponses possibles)* **1.** Ça y est, la décision est prise, nous nous jetons à l'eau, quels que soient les risques. – **2.** Maman, j'ai eu une très bonne note à mon premier devoir de chimie. – **3.** Ce chanteur a un talent fou. – **4.** Que donnent les tests effectués sur ce prototype ? – **5.** Évidemment, on pourra employer cette substance aussi bien dans le domaine chirurgical que militaire.

Bilan n° 7

Exercices pages 234 et 235

1 **1.** rendu – **2.** temps, sa jeunesse – **3.** sur le bout des doigts, par cœur – **4.** perdre – **5.** D'ici là, En attendant – **6.** battre – **7.** Pendant, Tant – **8.** pour un oui ou pour un non, à tout bout de champ*. – **9.** s'endormir – **10.** à l'occasion, le cas échéant

2 **1.** V – **2.** V – **3.** V – **4.** F – **5.** F – **6.** F – **7.** F – **8.** F – **9.** V – **10.** V

3 **1.** Sur ces entrefaites – **2.** comme si de rien n'était – **3.** sur les chapeaux de roues* – **4.** En attendant – **5.** à point nommé – **6.** il a fait amende honorable. – **7.** à tout bout de champ* – **8.** tourner la page – **9.** sur le bout de doigts. – **10.** très tendance*

4 **1.** bout – **2.** incongrue – **3.** passoire* – **4.** sauter* – **5.** foulée – **6.** augurent – **7.** parer – **8.** en ai – **9.** de rien – **10.** près

5 **1.** Tu as eu ton train, finalement ? – **2.** Finalement, tes enfants ne sont pas venus pour ton anniversaire ? – **3.** Vous avez accepté de prendre en charge cet énorme projet ? – **4.** Encore une fois, vous allez être obligés de déménager ? – **5.** On emploie encore cette expression ? – **6.** Peut-être qu'avec le temps et une action diplomatique, cette guerre va enfin s'arrêter ? – **7.** Michèle va venir à la réunion ? – **8.** Tu as pensé à téléphoner à Xavier ? – **9.** Vous savez que Séverine a encore fait faux bond ? – **10.** Tu as accepté de venir à ce cocktail ?

6 **1.** je m'en veux. – **2.** je pare au plus pressé. – **3.** Tu tombes à point nommé/Tu tombes bien/Ça tombe bien que tu sois là. – **4.** Il ne manquait plus que ça ! Il fallait s'y attendre ! Nous voilà bien* ! – **5.** On peut toujours rêver ! – **6.** Advienne que pourra ! – **7.** Je n'ai jamais eu d'accident jusqu'à présent, je touche du bois. – **8.** À chaque jour suffit sa peine. – **9.** Ça entre par une oreille et ça sort par l'autre ! – **10.** Tourne la page !

N° de projet : 10233071 - Dépôt légal : mai 2016
Imprimé en France en février 2017 par Clerc 18200 Saint-Amand-Montrond